A marca FSC® é a garantia de que a madeira utilizada na fabricação do papel deste livro provém de florestas que foram gerenciadas de maneira ambientalmente correta, socialmente justa e economicamente viável, além de outras fontes de origem controlada.

ELIZABETH STROUT

Meu nome é Lucy Barton

Tradução
Sara Grünhagen

Companhia das Letras

Copyright © 2016 by Elizabeth Strout
Tradução publicada mediante acordo com Random House, uma divisão de
Penguin Random House LLC.

*Grafia atualizada segundo o Acordo Ortográfico da Língua Portuguesa de 1990,
que entrou em vigor no Brasil em 2009.*

Título original
My Name Is Lucy Barton

Capa
Flávia Castanheira

Imagem de capa
Sem título, de Vânia Mignone, 2013, acrílica sobre MDF, edição única,
180 x 270 x 3 cm [6 partes de 90 x 90 cm]. Reprodução de Eduard Fraipont.
Cortesia de Vânia Mignone e Casa Triângulo.

Preparação
Ciça Caropreso

Revisão
Ana Maria Barbosa
Adriana Bairrada

Dados Internacionais de Catalogação na Publicação (CIP)
(Câmara Brasileira do Livro, SP, Brasil)

Strout, Elizabeth
    Meu nome é Lucy Barton / Elizabeth Strout ; tradução Sara
Grünhagen. — 1ª ed. — São Paulo : Companhia das Letras, 2016.

    Título original: My Name Is Lucy Barton.
    ISBN 978-85-359-2764-1

    1. Ficção norte-americana I. Título.

16-04319   CDD-813

Índice para catálogo sistemático:
1. Ficção : Literatura norte-americana 813

[2016]
Todos os direitos desta edição reservados à
EDITORA SCHWARCZ S.A.
Rua Bandeira Paulista, 702, cj. 32
04532-002 — São Paulo — SP
Telefone: (11) 3707-3500
Fax: (11) 3707-3501
www.companhiadasletras.com.br
www.blogdacompanhia.com.br
facebook.com/companhiadasletras
instagram.com/companhiadasletras
twitter.com/cialetras

Para a minha amiga
Kathy Chamberlain

Houve uma época, já faz muitos anos agora, em que eu tive que ficar num hospital por quase nove semanas. Foi em Nova York, e à noite a vista do edifício Chrysler, com seu brilho geométrico de luzes, era bem nítida da minha cama. Durante o dia, a beleza do prédio diminuía e aos poucos ele ia se tornando só mais uma grande estrutura contra um céu azul, e todos os prédios da cidade pareciam vagos, silenciosos, muito distantes. Era maio, depois junho, e lembro como eu me levantava e olhava pela janela para a calçada lá embaixo, observando as mulheres jovens — da minha idade — com suas roupas de primavera lá fora no horário do almoço; eu via a cabeça delas balançando enquanto conversavam, suas blusas ondulando na brisa. Pensava em como, quando eu saísse do hospital, eu nunca mais iria caminhar pela calçada sem agradecer por ser uma daquelas pessoas, e durante muitos anos fiz isso — eu me lembrava da vista da janela do hospital e ficava feliz pela calçada na qual estava caminhando.

Foi uma coisa simples no começo: eu tinha me internado

no hospital para tirar o apêndice. Depois de dois dias me deram comida, mas eu não conseguia mantê-la no estômago. Então veio uma febre. Ninguém conseguia isolar nenhuma bactéria nem descobrir o que tinha dado errado. Nunca conseguiram. Eu tomava soro numa veia e antibióticos em outra. Eles ficavam pendurados num suporte de metal com rodinhas bambas que eu empurrava ao caminhar, mas logo eu me cansava. Lá pelo início de julho, qualquer que tivesse sido o problema que havia me segurado ali passou. Mas até então fiquei num estado muito estranho — numa espera literalmente febril —, eu me angustiava demais. Eu tinha marido e duas filhas pequenas em casa; sentia uma falta terrível das minhas meninas e me preocupava tanto com elas que temia que isso estivesse me deixando mais doente. Então meu médico, com quem eu sentia uma profunda ligação — ele era um judeu de papada grande que carregava uma tristeza suave nos ombros e que tinha perdido avós e três tias, eu tinha ouvido ele contar a uma enfermeira, nos campos de concentração, e que tinha uma esposa e quatro filhos já grandes que moravam em Nova York —, esse homem encantador sentiu pena de mim, acho, e permitiu que as minhas meninas, de cinco e seis anos, fossem me visitar se elas não tivessem nenhuma doença. Uma amiga da família levava as duas ao meu quarto, e eu via como o rostinho delas estava sujo, e também o cabelo, e eu ia com elas para o chuveiro empurrando meu suporte de soro, e elas gritavam: "Mamãe, como você está magra!". Elas ficavam realmente assustadas. Sentavam comigo na cama enquanto eu secava o cabelo delas com uma toalha, depois faziam desenhos, mas apreensivas, e a cada minuto não paravam de dizer: "Mamãe, mamãe, você gosta disso? Mamãe, olha o vestido da minha princesa fada!". Elas falavam muito pouco, a mais nova, principalmente, parecia incapaz de falar, e quando eu passava os braços em volta dela, via seu lábio inferior se projetando e seu queixo tremendo; um tiquinho de gente naquele esforço todo para ser corajosa. Quando elas iam embora, eu não ficava na janela olhando elas partindo com a minha amiga que havia levado as duas e que não tinha filhos. Meu marido, naturalmente ocupado com a casa e também com o trabalho, nem sempre podia me visitar. Quando nos conhecemos, ele me disse que odiava hospitais — seu pai tinha morrido num hospital quando ele tinha catorze anos —, e aí eu vi o quanto ele falava sério. No primeiro quarto em que me colocaram havia uma senhora morrendo ao meu lado; ela não parava de gritar por ajuda — me impressionou a indiferença das enfermeiras, enquanto ela berrava que estava morrendo. Meu marido não suportava isso — não suportava me visitar ali, quero dizer — e fez com que me transferissem para um quarto individual. Nosso plano de saúde não cobria esse luxo, e cada dia dissipava um pouco mais nossas economias. Eu estava grata por não precisar ouvir aquela pobre mulher gritando, mas se alguém soubesse o tamanho da minha solidão eu teria ficado constrangida. Sempre que uma enfermeira ia medir minha temperatura, eu tentava segurá-la alguns minutos, mas as enfermeiras eram ocupadas, não podiam simplesmente ficar por ali conversando.

Cerca de três semanas depois de eu ter sido internada, desviei os olhos da janela no final de uma tarde e dei com a minha mãe sentada numa cadeira aos pés da minha cama. "Mãe?", eu falei.

"Oi, Lucy", ela disse. Sua voz soou tímida porém imperiosa. Ela se inclinou para a frente e apertou meu pé por cima do lençol. "Oi, Wizzle", disse. Fazia anos que eu não via minha mãe e mantive os olhos fixos nela; eu não entendia por que ela parecia tão diferente.

"Mãe, como foi que você chegou aqui?", perguntei.

"Ah, eu vim de avião." Ela acenou para mim com os dedos,

e eu sabia que havia emoção demais entre nós. Então acenei para ela também e deitei. "Acho que você vai ficar bem", ela acrescentou com seu tom ao mesmo tempo aparentemente tímido e imperioso. "Não tive nenhum sonho." O fato de ela estar ali, me chamando pelo meu apelido de criança, que eu não escutava havia eras, me fez sentir aquecida e branda, como se toda a minha tensão fosse uma coisa sólida que estivesse deixando de ser. Geralmente eu acordava à meia-noite e cochilava de forma esporádica ou ficava desperta olhando as luzes da cidade pela janela. Mas naquela noite eu dormi direto, e de manhã minha mãe estava sentada no mesmo lugar em que estivera no dia anterior. "Não faz mal", ela disse quando eu perguntei sobre isso. "Você sabe que eu não durmo muito."

As enfermeiras se ofereceram para arrumar uma cama portátil para ela, mas ela fez que não com a cabeça. Toda vez que uma enfermeira lhe oferecia uma cama, ela balançava a cabeça. Depois de um tempo as enfermeiras pararam de perguntar. Minha mãe ficou comigo cinco noites e só dormiu em sua cadeira.

Durante nosso primeiro dia inteiro juntas, minha mãe e eu conversamos de forma intermitente; acho que nenhuma de nós sabia bem como agir. Ela fez umas poucas perguntas sobre as meninas e eu respondi com o rosto corando. "Elas são maravilhosas", eu disse. "Ah, simplesmente maravilhosas." Sobre o meu marido, ela não perguntou nada, ainda que — ele me contou por telefone — tenha sido ele quem ligou para ela e pediu que ela fosse ficar comigo, quem pagou sua passagem, quem se ofereceu para ir buscá-la no aeroporto — minha mãe, que nunca tinha andado de avião. Apesar de ela ter dito que pegaria um táxi, apesar da recusa de estar cara a cara com ele, meu marido ainda assim lhe deu todas as orientações e o dinheiro para chegar até mim. Agora, sentada numa cadeira aos pés da minha cama, minha mãe também não falou nada sobre meu pai, então eu também não toquei no nome dele. Fiquei querendo que ela dissesse: "Seu pai desejou melhoras pra você", mas ela não fez isso.

"Deu medo de pegar um táxi, mãe?" Ela hesitou, e achei que vi o terror que ela devia ter sentido quando desceu do avião. Mas ela disse: "Tenho uma voz na cabeça e a usei".

Passado um momento, eu disse: "Estou realmente feliz por você estar aqui". Ela deu um sorriso rápido e olhou na direção da janela.

Isso foi em meados da década de 1980, antes dos celulares, e quando o telefone bege ao lado da minha cama tocava e era meu marido — minha mãe sabia, tenho certeza, pelo modo lastimoso como eu dizia "Oi", como se estivesse prestes a chorar —, minha mãe se erguia silenciosamente da cadeira e saía do quarto. Imagino que nesses momentos ela ia comer alguma coisa na cafeteria ou ligar para o meu pai de um orelhão no corredor, já que eu nunca a via comer e supunha que meu pai se preocupasse com a segurança dela — não havia problemas entre eles, até onde eu sabia —, e depois de eu ter falado com cada uma das meninas, beijando o bocal do telefone uma dúzia de vezes, deitado de novo no travesseiro e fechado os olhos, minha mãe devia se esgueirar de volta para o quarto, pois quando eu abria os olhos ela estava ali.

Naquele primeiro dia falamos do meu irmão, o mais velho de nós três, que, por não ser casado, morava na casa dos meus pais, embora tivesse trinta e seis anos, e da minha irmã mais velha, que tinha trinta e quatro anos, morava a dezesseis quilômetros da casa dos meus pais, era casada e tinha cinco filhos. Perguntei se o meu irmão estava trabalhando. "Ele está sem trabalho", minha mãe disse. "Ele passa a noite com qualquer animal que vai ser morto no dia seguinte." Perguntei o que ela tinha dito e ela repetiu o que acabara de dizer. Acrescentou: "Ele vai para o celeiro dos Pederson e dorme ao lado dos porcos que vão ser levados para o abate". Fiquei surpresa ao ouvir isso e disse para ela que tinha ficado, mas minha mãe deu de ombros.

Depois minha mãe e eu falamos das enfermeiras; minha mãe logo pôs apelidos nelas: "Biscoito" para a magricela que tinha um afeto crocante; "Enxaqueca" para a mais velha e abatida; "Sisuda" para a indiana de quem nós duas gostávamos.

Mas como eu estava cansada, minha mãe começou a me contar histórias de pessoas que ela tinha conhecido alguns anos antes. Falou de um jeito que eu não me lembrava, como se houvesse uma pressão de sentimentos, palavras e observações acumuladas dentro dela havia anos, sua voz saía entrecortada e num fluxo inconsciente. Às vezes eu cochilava e, quando acordava, implorava para ela falar de novo. Mas ela dizia: "Ah, Wizzlezinha, você precisa descansar".

"Eu estou descansada! Por favor, mãe. Me conte alguma coisa. Me conte qualquer coisa. Me fale da Kathie Nicely. Sempre amei o nome dela."

"Ah, sim. A Kathie Nicely. Minha nossa, como ela se deu mal."

Nós éramos esquisitões, a nossa família, mesmo naquela minúscula cidade rural de Amgash, em Illinois, onde havia outras casas caindo aos pedaços e precisando de uma tinta fresca, ou de persianas, ou de jardins, sem nenhuma beleza onde os olhos pudessem repousar. Essas casas agrupadas formavam a cidade, mas a nossa casa não ficava perto delas. Embora se diga que as crianças aceitem suas circunstâncias como normais, tanto Vicky quanto eu percebíamos que éramos diferentes. Ouvíamos das outras crianças no parquinho: "Sua família fede", e elas saíam correndo apertando o nariz com os dedos; minha irmã ouviu de sua professora do segundo ano — na frente da turma — que ser pobre não era desculpa para ter sujeira atrás das orelhas, que ninguém era tão pobre que não pudesse comprar um sabonete. Meu pai trabalhava com máquinas agrícolas, embora com frequência fosse despedido por discordar do patrão, e depois era novamente contratado, acho que porque era bom no que fazia e precisavam dele de novo. Minha mãe costurava: uma placa pintada à mão, no ponto onde a longa entrada da nossa casa se encontrava com a estrada, anunciava COSTURAS E AJUSTES. Embora nosso pai, quando orava conosco à noite, nos fizesse agradecer a Deus por termos comida suficiente, o fato é que eu vivia esfomeada e que o nosso jantar muitas noites era pão com melaço. Dizer uma mentira e desperdiçar comida eram coisas que nos faziam ser punidos. Se não fosse por isso, de vez em quando, e sem aviso, meus pais — normalmente minha mãe e na frente do nosso pai — nos batiam de modo impulsivo e com muita força, como acho que algumas pessoas devem ter desconfiado por causa das marcas em nossa pele e do nosso temperamento sombrio.

E havia o isolamento.

Vivíamos na região de Sauk Valley, onde é possível percorrer um bom trecho vendo apenas uma ou duas casas cercadas de campos, e, como eu disse, não havia casas por perto. Morávamos com milharais e plantações de soja se estendendo até o horizonte; e para além desse horizonte ficava a fazenda de porcos dos Pederson. No meio dos milharais havia uma árvore, e sua presença era marcante. Durante muitos anos pensei nessa árvore como minha amiga; ela era minha amiga. Nossa casa ficava numa estrada de terra muito comprida, não muito longe do rio Rock, próximo de algumas árvores que serviam de quebra-vento para os milharais. Então, de fato, não tínhamos nenhum vizinho perto de nós. E também não tínhamos televisão nem jornais, revistas ou livros em casa. Em seu primeiro ano de casada, minha mãe havia trabalhado na biblioteca local, e aparentemente — meu irmão me contou isso mais tarde — amava livros. Mas depois a biblioteca informou minha mãe que o regulamento havia mudado e que eles só poderiam contratar alguém com a formação adequada. Minha mãe nunca acreditou neles. Ela parou de ler, e muitos anos se passaram até ela ir a uma biblioteca em outra cidade e trazer livros para casa de novo. Conto isso porque há a questão de como as crianças se tornam conscientes do que é o mundo e de como atuar nele.

Como, por exemplo, você aprende que é falta de educação perguntar a um casal por que eles não têm filhos? Como você aprende a pôr a mesa? Como você sabe que está mastigando de boca aberta se ninguém nunca te disse isso? Como você sabe até mesmo qual é a sua aparência, se o único espelho da sua casa é minúsculo e fica no alto, acima da pia da cozinha, ou se você nunca ouviu uma só alma te dizer que você é bonita, e, em vez disso, conforme seus seios se desenvolvem, ouve de sua mãe que você está começando a parecer uma das vacas do celeiro dos Pederson?

Como Vicky se virou, até hoje eu não sei. Não éramos tão próximas quanto se poderia esperar; tanto uma quanto a outra não tinha amigos e éramos igualmente desprezadas, e nos olhávamos com a mesma desconfiança com que olhávamos para o resto do mundo. Há momentos agora, porque minha vida mudou tão completamente, em que recordo aqueles primeiros anos e me pego pensando: Não foi tão ruim assim. Talvez não tenha sido. Mas também há momentos — inesperados —, caminhando por uma calçada ensolarada, ou observando a copa de uma árvore curvada pelo vento, ou observando um céu de novembro se fechar sobre o rio East, em que sou súbita e tão profundamente tomada pela consciência da escuridão que um som às vezes escapa da minha boca e eu entro na primeira loja de roupas que vejo para conversar com um estranho sobre o modelo dos suéteres que acabaram de chegar. Deve ser assim que a maioria de nós leva a vida, em parte sabendo, em parte não, visitada por lembranças que simplesmente não podem ser verdadeiras. Mas quando vejo outras pessoas caminhando com confiança pela calçada, como se estivessem completamente livres do terror, percebo que não sei como os outros são. Muita coisa da vida parece especulação.

"A questão com Kathie", minha mãe disse, "a questão com Kathie era..." Minha mãe se inclinou para a frente na cadeira e baixou a cabeça, a mão no queixo. Aos poucos eu via como, desde a última vez em que a encontrara, ela tinha ganhado peso apenas o suficiente para suavizar suas feições; seus óculos não eram mais pretos, mas bege, e o cabelo ao lado do rosto tinha ficado mais claro, mas não grisalho, portanto ela estava parecida com uma versão um pouco maior e mais vaga de si mesma quando jovem.

"A questão com Kathie", eu disse, "é que ela era simpática."

"Não sei", minha mãe disse. "Não sei o quanto ela era mesmo simpática." Fomos interrompidas pela enfermeira Biscoito, que entrou no quarto com sua prancheta, depois segurou meu pulso e mediu minha pulsação olhando para o vazio, seus olhos azuis bem longes. Ela mediu minha temperatura, deu uma olhada no termômetro, anotou alguma coisa no meu prontuário e saiu do quarto. Minha mãe, que estivera observando Biscoito, olhava agora pela janela. "Kathie Nicely sempre queria mais. Eu vivia achando que o motivo de ela ser minha amiga — ah, não sei se podíamos ser chamadas de amigas, realmente, eu apenas costurava para ela e ela me pagava —, eu vivia achando que o motivo de ela ficar conversando — bem, ela *de fato* me recebeu em sua casa quando seus problemas começaram —, mas o que estou tentando dizer é que sempre achei que ela gostava que minhas condições fossem mais inferiores que as dela. Ela não podia invejar nada em mim. Kathie *sempre* queria alguma coisa que não tinha. Ela tinha aquelas filhas lindas, mas elas não eram o bastante, ela queria um filho. Ela tinha aquela casa linda em Hanston, mas ela não era boa o bastante, ela queria alguma coisa mais perto de uma cidade. Mas que cidade? Ela era assim." Em seguida, arrancando algum pedacinho de tecido em seu colo, apertando os olhos, minha mãe acrescentou em voz baixa: "Ela era filha única, acho que tinha alguma coisa a ver com isso, com o quanto filhos únicos podem ser egocêntricos".

Senti o choque térmico de quando se é atingido sem aviso; meu marido era filho único, e minha mãe tinha me dito havia muito tempo que tal "condição", como ela chamava, só podia acabar dando em egoísmo.

Minha mãe continuou: "Bom, ela tinha inveja. Não de *mim*, claro. Mas, por exemplo, Kathie queria viajar. E seu marido não era assim. Ele queria que Kathie se contentasse, ficasse em casa e que eles vivessem do salário dele. Ele ganhava bem, dirigia uma fazenda de milho, sabe. Eles tinham uma vida ótima, de fato qualquer um teria desejado a vida deles. Eles iam dançar em clubes! Eu não ia a um baile desde o ensino médio. Kathie ia me procurar e encomendava um vestido novo só para ir a um baile. Às vezes levava suas meninas com ela, umas coisinhas lindas e bem-comportadas. Sempre me lembro da primeira vez que ela foi com as filhas. Kathie me disse: 'Apresento-lhe as lindas garotas Nicely'. E quando comecei a dizer 'Ah, elas são um amor mesmo', ela falou: 'Não... é assim que elas são chamadas na escola, em Hanston, as Lindas Garotas Simpáticas'. Bom, como será que era é o que eu sempre quis saber. Ser conhecida como uma Linda Garota Simpática. Se bem que uma vez", disse minha mãe, com seu tom imperioso, "eu peguei uma delas sussurrando para as irmãs alguma coisa sobre a nossa casa ter um cheiro estranho...".

"São só crianças, mãe", falei. "Crianças sempre acham que os lugares têm um cheiro estranho."

Minha mãe tirou os óculos, bafejou em cada lente com força e depois as limpou na saia. Pensei em como o rosto dela parecia desprotegido; eu não conseguia parar de olhar para o seu rosto de aparência desprotegida. "Então um dia, sabe, os tempos mudaram. As pessoas acham que todo mundo enlouqueceu nos anos 1960, mas na verdade isso foi só nos anos 70." Seus óculos voltaram — seu rosto voltou — e minha mãe continuou. "Ou talvez demorou esse tempo todo para as mudanças chegarem ao nosso fim de mundo. Mas um dia Kathie foi me visitar, e ela estava risonha, estranha — infantil, sabe. Você já tinha ido embora àquela altura. Para..." Minha mãe ergueu o braço e agitou os dedos. Ela não disse "escola". Ela não disse "faculdade". Então eu também não pronunciei essas palavras. Minha mãe disse: "Kathie estava interessada em alguém que havia conhecido, ficou claro para mim, embora ela não tenha aberto a boca para dizer isso. Tive uma visão — uma *visitação* seria mais preciso dizer; me veio enquanto eu estava sentada ali olhando para ela. E eu vi e pensei: O-ou... Kathie está com problemas".

"E ela estava", falei.

"E ela estava."

Kathie Nicely tinha se apaixonado pelo professor de uma de suas filhas — que já estavam, então, todas as três, no ensino médio — e começou a se encontrar com esse homem em segredo. Depois ela disse ao marido que precisava se realizar mais plenamente e que não conseguiria fazer isso presa às correntes domésticas. Então ela se mudou e deixou o marido, as filhas e a casa. Foi só quando ela ligou chorando para a minha mãe que minha mãe ficou sabendo dos detalhes. Minha mãe foi de carro se encontrar com ela. Kathie tinha alugado um pequeno apartamento e estava sentada num pufe, mais magra do que nunca, e confessou à minha mãe que tinha se apaixonado, mas que depois que saiu de casa o sujeito a abandonou. Ele disse que não podia continuar com o que eles vinham fazendo. Ao chegar a esse ponto da história, minha mãe ergueu as sobrancelhas, como se o espanto que aquilo causava fosse grande, mas não desagradável para ela. "Só que o marido estava furioso, humilhado e *se recusou* a aceitá-la de volta."

O marido nunca a aceitou de volta. Ele passou dez anos sem nem mesmo falar com ela. Quando a mais velha, Linda, se casou assim que terminou o ensino médio, Kathie convidou meus pais para o casamento porque — minha mãe suspeitou — não tinha ninguém no casamento que conversasse com ela. "Aquela garota casou *tão* rápido", minha mãe disse, falando depressa agora, "que as pessoas acharam que ela estava grávida, mas não houve filho nenhum até onde *eu* fiquei sabendo, e ela se divorciou um ano depois e foi embora para Beloit, penso eu, atrás de um marido rico, e acho que ouvi dizer que ela encontrou um." Minha mãe disse que no casamento Kathie não parava de lançar olhares suplicantes em volta, desesperadamente nervosa. "Foi uma coisa triste de ver. É claro que não conhecíamos ninguém, e ficou óbvio que ela praticamente tinha nos contratado para estarmos ali. Ficamos lá sentados — lembro que numa das paredes do lugar, era n'O Clube, sabe, aquele lugar idiota e cheio de fru-frus em Hanston, eles tinham um monte de pontas de flecha indígenas atrás de um vidro, por que isso, eu me perguntei, quem ia se importar com todas aquelas pontas de flecha —, Kathie tentava conversar com alguma pessoa e depois voltava direto para nós. Até Linda, toda empetecada de branco — e Kathie não me pediu para fazer o vestido, a garota foi e comprou um —, até essa garota noiva não foi lá muito simpática com a mãe. Kathie mora numa pequena casa a poucos quilômetros do marido, ex-marido agora, já faz quase quinze anos. Completamente sozinha. As garotas permaneceram leais ao pai. Fico surpresa quando penso nisto, que chegaram a *permitir* que Kathie fosse ao casamento. Em todo caso, ele nunca teve outra pessoa."

"Ele devia tê-la aceitado de volta", eu disse com lágrimas nos olhos.

"Imagino que ele ficou com o orgulho ferido." Minha mãe deu de ombros.

"Bom, ele está sozinho agora, ela está sozinha, e um dia os dois vão morrer."

"É verdade", minha mãe respondeu.

Fiquei perturbada naquele dia com o destino de Kathie Nicely, enquanto minha mãe estava sentada aos pés da minha cama. Pelo menos essa é a lembrança que tenho. Sei que falei para a minha mãe — com um nó na garganta e à beira das lágrimas — que o marido de Kathie devia tê-la aceitado de volta. Tenho quase certeza de ter dito: "Ele vai se arrepender. Escreva o que estou dizendo: ele vai se arrepender".

E minha mãe falou: "Desconfio que seja ela que está arrependida".

Mas talvez não tenha sido isso o que minha mãe disse.

Até os meus onze anos moramos numa garagem. A garagem pertencia ao meu tio-avô, que vivia na casa ao lado, e na garagem só havia um fio de água fria vindo de uma pia improvisada. Na parede, um isolamento com um recheio que parecia algodão-doce cor-de-rosa, mas era fibra de vidro, podia nos cortar, conforme diziam para nós. Isso me deixava intrigada, e com frequência eu olhava aquela coisa cor-de-rosa tão bonita na qual não podia tocar; me intrigava pensar que aquilo se chamava "vidro"; é estranho pensar agora no quanto aquilo parecia ocupar minha mente, o enigma daquela bela e ameaçadora fibra de vidro cor-de-rosa ao lado da qual vivíamos todos os minutos. Minha irmã e eu dormíamos em camas de lona que formavam um beliche, com suportes de metal prendendo uma acima da outra. Meus pais dormiam sob a única janela, que dava para a expansão dos milharais, e meu irmão tinha uma cama portátil num canto mais afastado. À noite eu escutava o zumbido da pequena geladeira; ele parava e recomeçava. Algumas noites a luz da lua entrava pela janela, em outras noites era muito escuro. No inverno fazia tanto frio que eu vivia sem conseguir dormir, e às vezes minha mãe esquentava água no fogareiro, colocava na bolsa de água quente e me deixava dormir com isso. Quando meu tio-avô morreu, nos mudamos para a casa e passamos a ter água quente e um banheiro com descarga, embora no inverno a casa fosse muito fria. Sempre odiei sentir frio. Há elementos que determinam os caminhos tomados, e raramente conseguimos encontrá-los ou indicá-los com precisão, mas já pensei algumas vezes em como eu ficava até mais tarde na escola, que era aquecida, só para ficar quentinha. O zelador, com um gesto silencioso de cabeça e uma expressão bondosa no rosto, sempre abria para mim uma sala de aula onde os radiadores ainda estavam sibilando, e eu fazia minha lição de casa ali. Muitas vezes eu ouvia o eco fraco das líderes de torcida ensaiando no ginásio ou uma bola de basquete quicando, ou talvez a banda também estivesse ensaiando na sala de música, mas eu permanecia sozinha na sala de aula, quentinha, e foi lá que aprendi que a lição ficava pronta se você simplesmente a fizesse. Eu via a lógica das minhas lições de casa de um jeito que não conseguiria ver se fizesse as lições em casa. E quando eu terminava, lia — até finalmente ter que ir embora.

Nossa escola não era grande o bastante para ter uma biblioteca, mas nas salas de aula havia livros que podíamos levar para casa e ler. No terceiro ano li um livro que me fez querer escrever um. Era sobre duas garotas que tinham uma boa mãe, elas iam passar o verão em outra cidade e elas eram felizes. Nessa nova cidade havia uma garota chamada Tilly — Tilly! — que era estranha e sem graça porque era suja e pobre, e as garotas não foram boas com Tilly, mas a boa mãe fez com que elas a tratassem bem. Isto é o que eu lembro do livro: Tilly.

Minha professora viu que eu adorava ler e me deu livros, inclusive livros para adultos, e eu lia todos. Depois, no ensino médio, continuei lendo quando terminava a lição de casa na escola quentinha. Mas os livros me traziam coisas. Essa é a minha questão. Eles faziam eu me sentir menos sozinha. Essa é a minha questão. E eu pensava: vou escrever livros e as pessoas não vão se sentir tão sozinhas! (Mas era o meu segredo. Mesmo quando conheci meu marido, não contei logo para ele. Eu não conseguia me levar a sério. Só que eu me levava — lá no fundo, em segredo — muito a sério! Eu sabia que eu era uma escritora. Não sabia o quanto ia ser difícil. Mas ninguém sabe; e isso não tem importância.)

Por causa das horas em que fiquei na sala de aula aquecida, por causa das minhas leituras e porque percebi que se você não deixava de fazer nenhuma parte da lição de casa ela fazia sentido — por causa dessas coisas, minhas notas se tornaram perfeitas. No meu último ano, a orientadora da escola me chamou na sua sala e disse que uma faculdade nos arredores de Chicago estava me convidando para frequentá-la com todas as despesas pagas. Meus pais não falaram muito sobre isso, talvez em defesa do meu irmão e da minha irmã, que não tinham tido notas perfeitas ou boas de modo particular; nenhum dos dois continuou os estudos.

Foi a orientadora da escola quem me levou de carro até a faculdade num dia de calor escaldante. Ah, eu amei aquele lugar imediatamente, silenciosamente, ofegantemente! Parecia enorme para mim, prédios por toda a parte — o lago era gigantesco aos meus olhos —, pessoas circulando por ali, entrando e saindo das salas de aula. Eu estava apavorada, mas o meu pavor não era maior que o meu entusiasmo. Aprendi depressa a imitar as pessoas, a tentar fazer as lacunas do meu conhecimento sobre cultura popular passarem despercebidas, embora essa parte não fosse fácil.

Mas me lembro disto: quando voltei para passar o Dia de Ação de Graças em casa, não consegui pegar no sono naquela noite porque tive medo de que minha vida na faculdade tivesse sido um sonho. Fiquei com medo de acordar, de me ver mais uma vez naquela casa e de ter que ficar lá para sempre, e isso me parecia insuportável. Pensei: *Não*. Fiquei pensando nisso por muito tempo, até que adormeci.

Consegui um emprego perto da faculdade e comprei roupas num brechó; era meados dos anos 1970, e roupas assim eram aceitáveis mesmo se você não fosse pobre. Que eu saiba, ninguém falava de como eu me vestia, mas uma vez, antes de conhecer meu marido, fiquei muito apaixonada por um professor e tivemos um breve caso. Ele era artista e eu gostava do trabalho dele, embora eu entendesse que não o entendia, mas era *ele* que eu amava, seu rigor, sua inteligência, seu conhecimento de que era preciso renunciar a certas coisas para ter a vida que ele poderia ter — como filhos, dos quais abria mão. Registro isso agora só por um motivo: ele foi a única pessoa da minha juventude que eu lembro de ter comentado sobre as minhas roupas, e fez isso me comparando com uma professora do departamento dele que se vestia com roupas caras e que era fisicamente grande — o que eu não era. Ele disse: "Você tem mais substância, mas Irene tem mais estilo". Eu disse: "Mas estilo *é* substância". Eu ainda não sabia que isso era verdade, apenas tinha anotado essa frase um dia na minha aula de Shakespeare, porque o professor de Shakespeare a tinha dito e achei que ela soava verdadeira. O artista respondeu: "Então Irene tem mais substância". Fiquei ligeiramente envergonhada por ele, por ele pensar que eu não tinha estilo, porque as roupas que eu vestia eram *eu*, e se elas vinham de brechós e não eram roupas comuns, não me ocorreu que isso significava alguma coisa, a não ser para alguém bastante superficial. Depois ele comentou um dia: "Você gosta desta camisa? Comprei na

Bloomingdale's uma vez quando eu estava em Nova York. Sempre me impressiono com esse fato toda vez que a visto". E de novo eu fiquei constrangida. Porque ele parecia achar isso importante, e eu havia pensado que ele fosse mais profundo do que aquilo, mais inteligente do que aquilo; ele era um artista! (Eu o amava muito.) Acho que ele foi a primeira pessoa que eu me lembro que quis saber sobre a minha classe social — embora na época eu nem tivesse palavras para descrevê-la —, pois me levava de carro pelos bairros e perguntava: "Sua casa é assim?". E as casas para as quais ele apontava nunca me eram familiares, não que fossem casas grandes, apenas não se pareciam em nada com a garagem na qual cresci e sobre a qual eu tinha lhe contado, e também não eram como a casa do meu tio-avô. Eu não me lamentava por causa daquela garagem — não do modo como acho que ele queria que eu fizesse —, mas ele parecia achar que eu lamentaria. Ainda assim eu o amava. Ele me perguntou o que a gente comia quando eu era pequena. Eu não disse: "Geralmente pão com melaço". Mas falei: "Comíamos bastante feijão branco cozido". E ele disse: "E o que vocês faziam depois? Ficavam de bobeira peidando?". Aí eu entendi que jamais me casaria com ele. Engraçado como uma coisa dessa pode fazer você perceber algo assim. Você pode estar disposta a abrir mão dos filhos que sempre quis, pode estar disposta a aturar comentários sobre o seu passado ou sobre suas roupas, mas aí… um pequeno comentário e a alma se esvazia e diz: Ah.

Desde então tive muitos amigos e muitas amigas, e eles dizem a mesma coisa: sempre há um detalhe revelador. O que eu quero dizer é que esta não é só a história de uma mulher. É o que acontece com muitos de nós, se temos a sorte de ouvir um detalhe e prestar atenção nele.

Quando olho para trás, imagino que eu era bastante esquisita, que eu falava alto demais ou que não dizia nada quando coisas sobre cultura popular eram mencionadas; acho que eu reagia de modo estranho a tipos comuns de humor que eu desconhecia. Acho que eu não entendia mesmo o conceito de ironia, e isso confundia as pessoas. Quando conheci meu marido, William, eu senti — e foi uma surpresa — que ele realmente entendia alguma coisa de mim. Ele era assistente de laboratório do meu professor de biologia do meu segundo ano da faculdade e tinha sua própria visão solitária do mundo. Meu marido era de Massachusetts e era filho de um prisioneiro de guerra alemão que tinha sido mandado para trabalhar nos campos de batata do Maine. Faminto, como eles costumavam ser, esse homem tinha conquistado o coração da mulher de um fazendeiro, e quando voltou para a Alemanha depois da guerra, ele pensou muito nela e lhe escreveu dizendo que estava enojado da Alemanha e de tudo o que eles tinham feito. Ele voltou para o Maine, fugiu com a mulher do fazendeiro e eles foram para Massachusetts, onde ele estudou engenharia civil. O casamento deles, naturalmente, foi um grande sacrifício para a mulher. Meu marido tinha a aparência do alemão loiro que eu vi nas fotos do pai dele. Seu pai falava bastante alemão quando William era pequeno; mas quando William estava com catorze anos, seu pai morreu. Não restou nenhuma carta entre o pai e a mãe de William; se seu pai tinha realmente se sentido enojado da Alemanha, eu não sei. William acreditava que sim, e por muitos anos também acreditei nisso.

Para fugir da carência de sua mãe viúva, William foi estudar no Centro-Oeste, mas quando o conheci ele já estava ansioso para voltar o mais rápido possível para o Leste. Antes, porém, ele quis conhecer meus pais. Foi ideia dele, iríamos juntos a Amgash e ele explicaria aos dois que íamos nos casar e nos mudar para Nova York, onde ele tinha um estágio de pós-doutorado à sua espera numa universidade. Nem me passou pela cabeça que eu devia me preocupar; eu não era de dar as costas para qualquer coisa. Estava apaixonada, a vida seguia seu curso e isso me parecia natural. Passamos de carro por acres de campos de soja e milho. Era início de junho, e a soja ficava de um lado da estrada, com seu verde acentuado iluminando com sua beleza os monótonos campos inclinados; do outro lado ficava o milharal, que ainda não chegava à altura dos meus joelhos, de um verde-brilhante que ia se tornar escuro nas semanas seguintes, com suas folhas flexíveis que iam ficar mais fortes depois. (Ah, milho da minha juventude, você foi meu amigo! — correndo e correndo entre suas fileiras, correndo como só uma criança sozinha pode correr no verão, correndo até aquela árvore austera que ficava no meio do milharal.) Na minha lembrança o céu estava cinza enquanto seguíamos pela estrada, e ele pareceu se erguer — não clarear, mas se erguer. Foi linda a sensação dele se erguendo è ficando mais claro, o cinza com um levíssimo toque de azul, as árvores frondosas com suas folhas verdes.

Lembro do meu marido dizer que não esperava que a minha casa fosse tão pequena.

Não chegamos a ficar nem um dia com meus pais. Meu pai estava com seu macacão de mecânico, ele olhou para William e, quando os dois apertaram as mãos, vi grandes contorções no rosto do meu pai, do tipo que frequentemente precediam o que quando criança eu chamava — para mim mesma — de *Coisa*, o que significava um estado em que meu pai se tornava muito ansioso e sem controle sobre si próprio. Depois disso, acho que meu pai não olhou de novo para William, mas não tenho como ter certeza. William se ofereceu para levar meus pais, meu irmão e minha irmã até a cidade para comermos no restaurante que eles quisessem. Meu rosto ficou quente como o sol quando ele disse isso; nunca tínhamos ido comer num restaurante como família. Meu pai disse para ele: "Seu dinheiro não presta aqui", e William olhou para mim com uma expressão confusa, eu assenti de leve com a cabeça e murmurei que era melhor irmos embora. Minha mãe foi até onde eu estava parada, sozinha junto do carro, e disse: "Seu pai tem muitos problemas com os alemães. Você devia ter nos avisado".

"Avisado vocês?"

"Você sabe que seu pai esteve na guerra, e alguns alemães tentaram matá-lo. Está sendo terrível para ele desde o momento em que viu William."

"Eu sei que papai esteve na guerra", respondi. "Mas ele nunca falou nada sobre isso."

"Quando se trata de experiência de guerra, há dois tipos de homens", minha mãe disse. "Um fala do assunto, o outro não. Seu pai pertence ao grupo dos que não falam."

"E por quê?"

"Porque não seria decente", minha mãe respondeu. E acrescentou: "Quem foi que criou você, em nome de Deus?".

Só anos mais tarde, muito tempo depois, fiquei sabendo pelo meu irmão que meu pai, numa cidade alemã, tinha esbarrado com dois rapazes que o assustaram, e meu pai atirou neles pelas costas; ele não achou que fossem soldados, não estavam vestidos como soldados, mas ele atirou mesmo assim e, quando virou um deles com o pé, viu como ele era jovem. Meu irmão me contou que William tinha parecido para o meu pai uma versão mais velha dessa pessoa, um jovem que tinha voltado para insultá-lo, para levar sua filha embora. Meu pai havia assassinado dois garotos alemães, e em seu leito de morte disse ao meu irmão que não havia passado um dia sem pensar neles, sentindo que deveria ter tirado a própria vida como compensação. O que mais aconteceu com meu pai na guerra eu não sei, mas ele esteve na Batalha das Ardenas e na da Floresta de Hürtgen, dois dos piores lugares para se estar na guerra.

Minha família não foi ao meu casamento nem o reconheceu, mas quando minha primeira filha nasceu, eu liguei de Nova York para os meus pais, e minha mãe disse que tinha sonhado com isso, que já sabia que eu tinha tido uma menina, mas não sabia o nome, e ela pareceu gostar dele: Christina. Depois disso passei a ligar para eles em aniversários e feriados, e quando minha outra filha, Becka, nasceu. Conversávamos de modo educado, mas sempre, eu achava, com desconforto, e eu ainda não tinha visto ninguém da minha família até o dia em que minha mãe apareceu aos pés da minha cama no hospital onde o edifício Chrysler brilhava através da janela.

No escuro, eu perguntei baixinho à minha mãe se ela estava acordada.

Ah, sim, ela respondeu. Baixinho. Mesmo estando apenas nós duas naquele quarto de hospital onde o edifício Chrysler brilhava através da janela, ainda assim sussurrávamos, como se fôssemos perturbar alguém.

"Por que você acha que o cara por quem Kathie se apaixonou disse que não podia continuar com aquilo depois que ela deixou o marido? Será que ele ficou com medo?"

Depois de um tempo minha mãe disse: "Não sei. Mas Kathie me contou que ele tinha confessado pra ela que era homo".

"Gay?" Eu sentei e a vi aos pés da minha cama. "Ele disse pra ela que era gay?"

"Imagino que é assim que vocês dizem agora. Mas naquela época a gente dizia 'homo'. Ele disse 'homo'. Ou Kathie. Não sei quem disse 'homo'. Mas ele era."

"Mãe, ah, mãe, você está me fazendo rir", e dava para ouvir que ela tinha começado a rir também, embora dizendo: "Wizzle, não sei realmente o que há de tão engraçado nisso".

"Você." Lágrimas de riso escapavam dos meus olhos. "A história. Que história terrível!"

Ainda rindo — do mesmo jeito contido mas imperioso com que falara durante o dia —, ela disse: "Não tenho bem certeza do que há de tão engraçado em trocar o marido por um homo gay e depois a pessoa descobrir isso, quando achava que ia ter um homem inteiro".

"Mãe, você está me matando." Deitei de novo. Minha mãe disse, pensativa: "Algumas vezes achei que talvez ele não fosse gay. Que Kathie o assustou. Quando deixou sua vida por causa dele. Que talvez ele tenha inventado isso". Avaliei a questão. "Não sei se naquela época esse seria o tipo de coisa que um homem iria inventar sobre si mesmo."

"Ah", minha mãe disse. "Ah, isso é verdade. Pra ser sincera, não sei qual é a desse sujeito de Kathie. Não sei se ele ainda está por aí nem sei absolutamente nada sobre ele."

"Mas eles *fizeram?*"

"Eu não sei", minha mãe respondeu. "Como eu ia saber? Fizeram o quê? Se tiveram relação? Como diabos eu saberia uma coisa dessas?"

"Eles devem ter tido relação", falei, porque achava que era engraçado dizer isso e porque acreditava nisso. "Você não deixa três meninas e um marido só por causa de uma *quedinha*."

"Talvez deixe."

"Certo. Talvez deixe." Depois eu perguntei: "E o marido de Kathie, o sr. Nicely? Ele não teve mesmo ninguém desde então?".

"Ex-marido. Ele se divorciou dela num piscar de olhos. Mesmo assim, acho que não. Não parece haver nenhum sinal disso. Mas, imagino, a gente nunca sabe."

Talvez tenha sido a escuridão, só com a pálida fresta de luz que entrava pela porta, e a constelação do magnífico edifício

Chrysler ali perto de nós que nos permitiram falar de um jeito como nunca tínhamos falado.

"Pessoas", eu disse.

"Pessoas", minha mãe disse.

Eu estava tão feliz. Ah, como eu estava feliz de falar assim com a minha mãe!

Naquela época — era meados de 1980, como eu disse — William e eu morávamos no West Village, num pequeno apartamento próximo ao rio. Um prédio sem elevador, não era fácil, com duas crianças pequenas e sem lavanderia no local, e ainda tínhamos um cachorro. Eu carregava a mais nova num canguru nas minhas costas — até ela ficar muito grande — e levava junto o cachorro, me curvando com dificuldade para pegar o cocô dele com um saco plástico, como as placas me mandavam fazer: LIMPE A SUJEIRA DO SEU CÃO. Sempre gritando para a minha filha mais velha me esperar, não sair da calçada. Espera, espera!

Eu tinha dois amigos, e estava meio apaixonada por um deles, Jeremy. Ele morava na cobertura do nosso prédio e tinha quase, mas não chegava a tanto, a idade do meu pai. Ele tinha vindo da França, da aristocracia de lá, e abriu mão de tudo para viver na América, começando a vida aqui quando jovem. "Todo mundo diferente queria estar em Nova York naquela época", ele me disse. "Era o lugar para onde ir. Acho que ainda é." Na metade da sua vida, Jeremy tinha decidido se tornar psicanalista, e quando o conheci ele ainda tinha alguns pacientes, mas se recusava a me falar como era. Ele tinha um consultório em frente à New School, e três vezes por semana ia lá. Eu cruzava com ele na rua, e a visão dele — alto, magro, cabelo escuro, de terno escuro e com seu rosto expressivo — sempre fazia o meu coração acelerar. "Jeremy!", eu dizia, e ele sorria e erguia o chapéu de um modo cortês, antiquado e europeu — era assim que eu via.

Eu só tinha visto o apartamento dele uma vez, foi quando fiquei trancada para fora de casa e tive que esperar o síndico aparecer. Jeremy me viu na escada da frente com o cachorro e as meninas, eu estava desesperada, e ele me acolheu. Assim que entramos na casa dele, as crianças ficaram quietas e muito bem-comportadas, como se soubessem que nunca uma criança havia pisado ali, e de fato eu nunca tinha visto crianças indo ao apartamento de Jeremy. Só um ou dois homens e às vezes uma mulher. O apartamento era sóbrio e vazio: uma íris roxa e solitária num vaso de vidro contra uma parede branca, e havia obras de arte nas paredes que me fizeram entender como era grande a distância entre nós dois. Digo isso porque não entendi aquela arte; eram peças escuras e oblongas, construções quase-abstratas-mas-não-exatamente, entendi apenas que eram indícios de um mundo sofisticado que eu jamais conseguiria compreender. Jeremy estava desconfortável com a minha família em seu apartamento, eu sentia isso, mas ele era um cavalheiro refinado, e por isso eu o amava tanto.

Três coisas sobre Jeremy:

Um dia eu estava parada na escada da frente, e enquanto ele saía do prédio eu disse: "Jeremy, às vezes eu fico aqui parada sem acreditar que estou mesmo em Nova York. Fico aqui pensando: quem poderia imaginar? Eu! Morando em Nova York!".

E uma expressão de puro desagrado — muito rápida, involuntária — atravessou seu rosto. Eu ainda não tinha me dado conta de como era profunda a aversão que as pessoas da cidade sentiam por um legítimo provinciano.

A segunda coisa sobre Jeremy: meu primeiro conto foi publicado assim que me mudei para Nova York, depois passou mais algum tempo e meu segundo conto foi publicado. Um dia, na escada, Chrissie disse a Jeremy: "A mamãe tem uma história numa revista!". Ele se virou para me olhar; me olhou profundamente; precisei desviar os olhos. "Não, não", eu falei. "É só uma revistinha literária, boba, pequena mesmo". Ele disse: "Então... você é escritora. Você é uma artista. Trabalho com artistas, eu sei. Acho que sempre soube disso a seu respeito".

Balancei a cabeça. Pensei no artista da minha faculdade, no seu conhecimento de si mesmo, em sua capacidade de abrir mão de filhos.

Jeremy sentou ao meu lado na escada. "Os artistas são diferentes das outras pessoas."

"Não. Eles não são." Meu rosto corou. Eu sempre tinha sido diferente; não queria mais ser diferente!

"Mas eles são." Ele deu um tapinha no meu joelho. "Você precisa ser implacável, Lucy."

Chrissie pulava para cima e para baixo. "É uma história triste", ela disse. "Eu ainda não sei ler — só consigo ler *algumas* palavras —, mas é uma história triste."

"Eu posso ler?", Jeremy me perguntou.

Eu disse que não.

Disse que eu não iria suportar se ele não gostasse. Ele assentiu com a cabeça e falou: "Certo, não vou pedir de novo. Mas, Lucy, você conversa bastante comigo, e não consigo me imaginar lendo qualquer coisa sua de que eu não vá gostar".

Lembro claramente de ele ter dito "implacável". Ele não parecia implacável, e eu não achei que eu fosse ou que poderia vir a ser implacável. Eu o amava; ele era delicado. Ele me disse para ser implacável.

Mais uma coisa ainda sobre Jeremy: a epidemia de aids era nova. Homens caminhavam pelas ruas esqueléticos e abatidos, e dava para ver que eles estavam doentes, contaminados por aquela praga súbita e de proporções quase bíblicas. Um dia, sentada na escada da frente com Jeremy, eu disse uma coisa que me surpreendeu. Falei, depois que dois desses homens tinham acabado de passar lentamente: "Sei que é horrível eu dizer isto, mas quase sinto inveja deles. Porque eles têm um ao outro, estão ligados numa verdadeira comunidade". Então ele olhou para mim com uma autêntica bondade no rosto, e vejo agora que ele descobriu uma coisa que eu não tinha percebido: que apesar da minha plenitude, eu me sentia solitária. A solidão era o primeiro gosto que eu tinha sentido na vida, e ela estava sempre ali, escondida nas fendas da minha boca, me fazendo lembrar. Ele viu isso naquele dia, eu acho. E foi bondoso. "Sim", foi tudo o que disse. Ele poderia facilmente ter dito: "Você está maluca, eles estão morrendo!". Mas não disse, pois entendeu a solidão que me cercava. É isso que eu quero pensar. É isso que eu penso.

Numa dessas lojas de roupa pelas quais Nova York é famosa, num desses lugares privados, de estilo meio como o das galerias de arte de Chelsea, conheci uma mulher que acabou exercendo grande influência sobre mim e que talvez — em muitos aspectos que eu não entendo completamente — tenha sido a razão de eu ter escrito isto. Faz muitos anos já, minhas meninas tinham talvez onze e doze anos. De todo modo, vi essa mulher numa loja de roupas e tive certeza de que ela não tinha me visto. Sua expressão era do tipo desligado que quase não se vê mais em mulheres, e ficava atraente assim, revelava-se muito bem dessa forma, e calculei que ela devia estar próxima dos cinquenta anos. Ela era atraente em muitos aspectos, elegante, e seu cabelo — costumávamos dizer que era cinza — estava bem-arrumado, e com isso quero dizer que notei que a cor não tinha saído de um frasco, mas das mãos de uma pessoa treinada para trabalhar num salão de beleza. No entanto, foi seu rosto que me atraiu. Seu rosto, que eu olhava pelo espelho enquanto experimentava um blazer preto, até que finalmente falei: "Você acha que combina?". O olhar dela foi de surpresa, como se não imaginasse que alguém fosse pedir sua opinião sobre roupas. "Ah, eu não trabalho aqui, desculpe", ela respondeu. Eu falei que sabia disso, que apenas queria sua opinião. Disse que gostava do modo como ela se vestia. "Ah, certo. Você *gosta*? Bom, obrigada, nossa. É, certo. Ah, sim" — ela deve ter me visto puxando as lapelas do blazer sobre o qual tinha lhe perguntado — "é bonito, ele é bonito, você vai usar com esta saia?" Discutimos sobre a saia e se eu tinha ou não uma mais comprida, só para garantir, como ela disse, e eu "talvez poderia querer usar salto, sabe, uma pequena incrementada".

Ela era tão linda quanto seu rosto, eu pensei, e eu amava Nova York pelo presente que eram esses encontros sem fim. Talvez eu também tenha visto tristeza nela. Foi o que senti quando cheguei em casa e seu rosto passou pela minha mente; era uma coisa que você não sabia que estava vendo na hora, já que ela sorria bastante, o que fazia seu rosto brilhar. Ela parecia uma mulher por quem os homens ainda se apaixonavam.

Eu disse: "O que você faz?".

"Em termos de trabalho?"

"Sim", falei. "É que você tem jeito de quem faz alguma coisa interessante. Você é atriz?" Pendurei o blazer de volta no cabide; eu não tinha dinheiro para comprar uma coisa daquela.

Ah, não, não, ela respondeu, e em seguida disse, e juro que vi seu rosto corar: "Sou só uma escritora. Nada mais". Como se ela estivesse se confessando, porque foi pega — eu senti. Ou talvez ser "só uma escritora" era só o que ela pensava que era. Perguntei sobre o que ela escrevia, seu rosto claramente corou e ela fez um gesto de descaso com a mão, dizendo: "Ah, você sabe, livros, ficção, coisas assim, nada importante de fato".

Precisei perguntar o nome dela, e de novo fiquei com a impressão de que havia lhe causado um grande constrangimento — ela respondeu num só fôlego: "Sarah Payne" —, e como eu não queria deixá-la mais constrangida agradeci seus conselhos, ela pareceu relaxar, falamos sobre onde comprar os melhores sapatos — ela estava usando um de salto alto preto e de couro envernizado —, isso a deixou feliz, eu pensei, e então nos despedimos, cada uma de nós dizendo como tinha sido bom conhecer a outra.

Em casa, no nosso apartamento — já tínhamos nos mudado para Brooklyn Heights a essa altura —, enquanto as crianças corriam por ali, perguntando aos gritos onde estava o secador de cabelo ou a blusa que tinha estado na lavanderia, olhei em nossas estantes e vi que Sarah Payne se parecia só um pouquinho com a sua foto de sobrecapa; eu tinha lido os livros dela. E depois me lembrei de ter estado numa festa com um homem que a conhecia. Ele falou do trabalho dela, disse que ela era uma boa escritora, mas que ela tinha uma "quedinha por comiseração" que o irritava e que, segundo ele, enfraquecia o seu trabalho. Ainda assim, eu gostava dos livros dela. Gosto de escritores que tentam dizer alguma coisa verdadeira para você. Eu também gostava do trabalho dela porque ela tinha crescido num decadente pomar de maçãs numa cidadezinha de New Hampshire, e porque ela escrevia sobre as regiões rurais desse estado, escrevia sobre as pessoas que trabalhavam duro e sofriam e que também eram surpreendidas por coisas boas. E então percebi que mesmo em seus livros ela não dizia *realmente* a verdade, estava sempre evitando algo. Pois se ela mal conseguia dizer seu nome! E senti que entendia isso também.

No hospital, na manhã seguinte — já faz tantos anos agora —, falei para a minha mãe que estava preocupada por ela não dormir, e ela me disse que eu não deveria me preocupar por ela não dormir, pois a vida toda ela tinha aprendido a tirar cochilos. Então, mais uma vez, brotou aquele leve impulso de palavras, sentimentos contidos que pareciam se precipitar para fora dela enquanto ela subitamente começava, naquela manhã, a falar da sua infância, de como ela tinha tirado cochilos durante toda a infância também. "Você aprende a fazer isso quando não se sente segura", ela disse. "Sempre dá para tirar um cochilo sentada."

Sei muito pouco sobre a infância da minha mãe. De certa forma, acho isso natural — saber pouco sobre a infância dos nossos pais. De coisas *específicas*, quero dizer. Hoje há grande interesse pela ascendência, e isso significa nomes, lugares, fotos, registros judiciais, mas de que forma descobrir como foi o tecido diário de uma vida? Isto é, quando chega a hora em que nos importamos com isso? O puritanismo dos meus ancestrais não fez uso da conversação como fonte de prazer, do modo como já vi em outras culturas. Mas naquela manhã no hospital minha mãe pareceu bem contente em falar dos verões em que ia para uma fazenda — ela já *tinha* falado disso no passado. Quaisquer que fossem as razões, minha mãe passou a maior parte dos verões de sua infância na fazenda de sua tia Celia, uma mulher que eu só lembrava como uma pessoa magra e pálida e que, assim como meu irmão e minha irmã, eu chamava de "tia Siri" — pelo menos na minha cabeça, sempre achei que ela era "tia Siri", e havia certa confusão sobre isso, porque as crianças pensam de forma literal, e eu não fazia ideia de por que o nome dela era o de um animal marinho que eu nunca tinha visto. Ela era casada com tio Roy, que até onde eu sabia era um homem muito bom. A prima da minha mãe, Harriet, era a filha única deles, e na minha juventude seu nome de vez em quando era mencionado.

"Eu estava lembrando", minha mãe disse com sua voz suave e acelerada, "de uma manhã, ah, a gente devia ser bem pequena, talvez eu tivesse cinco anos e Harriet três, eu lembrei que a gente decidiu ajudar tia Celia a tirar as flores mortas dos lírios-amarelos que cresciam perto do celeiro. Mas claro que Harriet era só uma coisinha, e ela achou que os botões grandes eram as partes mortas que se devia tirar, e lá estava ela arrancando todos, quando tia Celia apareceu."

"Tia Siri ficou brava?", eu perguntei.

"Não, eu não lembro disso. Mas eu fiquei", minha mãe disse. "Tentei explicar para Harriet o que era um botão e o que não era. Criança idiota."

"Eu nunca soube que Harriet era idiota, você nunca disse que ela era idiota."

"Bom, talvez não fosse. Provavelmente não era. Mas ela tinha medo de tudo, *morria* de medo de relâmpago. Ela se escondia embaixo da cama e ficava choramingando", minha mãe disse. "Nunca entendi isso. E tinha muito medo de cobra. Que menina boba, realmente."

"Mãe. *Por favor*, não fale essa palavra de novo. Por favor."
Eu já estava tentando sentar e erguer os pés. Até hoje ergo os pés
onde eu possa vê-los quando ouço essa palavra.
"Não dizer que palavra de novo? 'Cobra'?"
"*Mãe.*"
"Pelo amor de Deus, eu não... Está bem. Está bem." Ela
agitou a mão, dando de ombros de leve enquanto se virava para
olhar pela janela. "Você muitas vezes me lembra Harriet", ela disse. "Esse medo bobo de vocês. E a sua capacidade de sentir pena
de qualquer Tom, Dick ou Harry que aparecesse."
Até hoje não sei de que Tom, Dick ou Harry eu tinha sentido pena nem quando eles tinham aparecido. "Mas quero ouvir",
eu disse. Eu queria ouvir a voz dela de novo, sua voz diferente,
acelerada.

Enxaqueca, a enfermeira, entrou no quarto; mediu minha
temperatura, mas não ficou olhando para o nada como Biscoito
fazia. Em vez disso, Enxaqueca me olhou atentamente, depois
olhou o termômetro e me disse que a febre era a mesma do dia
anterior. Perguntou à minha mãe se ela queria alguma coisa e
minha mãe balançou a cabeça rápido, dizendo que não. Enxaqueca ficou parada alguns instantes, sua expressão desanimada
parecendo perdida. Em seguida mediu minha pressão, que estava sempre boa e que estava boa naquela manhã. "Está certo, então", ela disse, e tanto eu quanto minha mãe lhe agradecemos.
Ela fez umas anotações no meu prontuário e na porta se virou
para dizer que logo o médico viria.

"O médico me pareceu um homem bom", minha mãe disse, falando para a janela. "Quando veio ontem à noite."

Enxaqueca lançou um olhar para mim enquanto saía.

Depois de alguns minutos, falei: "Mãe, me conte mais sobre Harriet".

"Bom, você sabe o que aconteceu com Harriet." Minha
mãe voltou para o quarto, para mim.

Eu disse: "Mas você sempre *gostou* dela, não é?".

"Ah, claro — o que havia para não gostar em Harriet? Ela teve aquele grande azar no casamento. Casou com um homem que morava a umas duas cidades dali e que ela conheceu num baile, numa quadrilha num celeiro, acho, e as pessoas ficaram felizes por ela, sabe, ela nunca foi uma beleza de mulher mesmo na flor da sua juventude."

"O que havia de errado com ela?", perguntei.

"Não havia nada de errado com ela. É que ela sempre foi inquieta, desde pequena, e ainda tinha aqueles dentes grandes. E fumava, o que lhe dava mau hálito. Mas era um amor, isso ela era, nunca queria mal a ninguém, e tinha aqueles dois filhos, Abel e Dottie..."

"Ah, eu amava Abel quando eu era criança", falei.

"Sim, Abel sempre foi uma pessoa maravilhosa. Engraçado como isso pode acontecer, do nada nasce uma árvore forte, ele era assim. Em todo caso, um dia o marido de Harriet foi comprar cigarros para ela e..."

"Nunca mais voltou", eu terminei.

"Pode-se *dizer* que ele nunca mais voltou. Sem dúvida pode-se *dizer* que ele nunca mais voltou. Ele caiu morto na rua, e Harriet passou por maus bocados tentando impedir o Estado de ficar com aquelas crianças. Ele não deixou nada para ela, pobre mulher, tenho certeza de que ele não esperava simplesmente *morrer*. Eles moravam em Rockford na época — sabe, fica a mais de uma hora de distância —, e ela continuou lá, eu nunca soube por quê. Mas no verão ela mandava as crianças ficarem conosco, depois que fomos para a casa. Ah, como aquelas crianças pareciam tristes... Eu sempre tentava fazer um vestido novo para Dottie levar para a casa dela depois."

Abel Blaine. Andava sempre com a calça curta demais, acima dos tornozelos, eu lembro, e as crianças riam dele quando íamos à cidade, e ele sempre sorria como se nada disso importasse. Seus dentes eram tortos e ruins, mas ele era bonito; talvez soubesse que era bonito. Na verdade, acho que ele simplesmente tinha um bom coração. Foi ele quem me ensinou a procurar comida na caçamba do lixo atrás da Confeitaria Chatwin. O impressionante é que ele nem disfarçava: parava na frente da lixeira e ia atirando as caixas de lado até encontrar o que estava procurando — bolos velhos, pãezinhos e doces de dias antes. Nem Dottie nem minha irmã e meu irmão iam com a gente, não sei onde eles estavam. Depois de algumas idas a Amgash, Abel não voltou; ele conseguiu um emprego de lanterninha num teatro, onde morava. Numa carta que me mandou, ele colocou um folheto que mostrava o saguão do teatro; era lindo, eu lembro, com ladrilhos de cores diferentes, todo decorado e deslumbrante.

"Abel se deu bem", minha mãe me disse.

"Me conte de novo", falei.

"Ele conseguiu casar com a filha de alguém para quem ele trabalhava; a história da filha do chefe, acho, é a história dele. Ele mora em Chicago, há anos mora lá", minha mãe disse. "A mulher dele é bem nariz empinado e não quer nada com a pobre Dottie, cujo marido fugiu com outra já faz alguns anos. Ele era do Leste, o marido de Dottie. Você sabe."

"Não."

"Bom." Minha mãe suspirou. "Ele era. De algum lugar daqui da costa Leste…" Minha mãe balançou de leve a cabeça na direção da janela como se para indicar que o marido de Dottie tinha vindo de lá. "Embora ele talvez fosse só um pouquinho melhor que ela. Wizzle, como é que você consegue viver sem um *céu*?"

"Há um céu." Mas acrescentei: "Sei o que você está querendo dizer".

"Mas como você consegue viver sem um céu?"

"Há pessoas em vez disso", falei. "Mas me diga por quê."

"Por que o quê?"

"Por que o marido de Dottie fugiu?"

"Como é que eu vou saber? Ah, acho que sei, sim. Ele conheceu uma mulher no hospital, quando foi tirar a vesícula. Olha só, é quase como você!"

"Como eu? Você acha que eu vou fugir com a Biscoito ou com a Sisuda?"

"Nunca se sabe o que atrai uma pessoa para a outra", minha mãe respondeu. "Mas não acho que ele fugiu com nenhuma Enxaqueca." Minha mãe inclinou a cabeça na direção da porta. "Se ele fugiu com alguém, tenho certeza de que não foi com nenhuma sisuda, sabe, quero dizer..." Minha mãe se inclinou para a frente para sussurrar: "Escura ou seja lá o que a nossa é, sabe, indiana". Minha mãe voltou a se sentar direito. "Mas tenho quase certeza de que ela é mais nova que Dottie e mais atraente. Ele deixou para Dottie a casa em que eles moravam, e ela a transformou numa pousada. Está indo bem, que eu saiba. E Abel está em Chicago indo mais do que bem, o que é muito bom para a pobre Harriet no fim das contas. Bom, imagino que ela tenha se preocupado com Dottie. Minha nossa, Harriet se preocupava com todo mundo. Mas não se preocupa mais, acho. Faz anos que morreu. Do nada, enquanto dormia uma noite. Não é uma forma ruim de ir embora."

Eu adormecia e acordava ouvindo a voz da minha mãe.

Pensei: tudo o que eu quero é isso.

Mas acabei querendo mais alguma coisa. Queria que a minha mãe perguntasse sobre a minha vida. Queria falar da vida que eu estava levando. Como uma idiota — foi idiotice minha —, eu soltei: "Mãe, consegui publicar dois contos". Ela me lançou um olhar rápido e intrigado, como se eu tivesse dito que tinham nascido uns dedos a mais em mim, depois olhou para fora da janela e não disse nada. "Só uns contos bobos", eu falei, "em revistas pequenas." Ela continuou sem dizer nada. Então eu disse: "Becka não consegue dormir uma noite inteira. Talvez ela tenha puxado a você nisso. Talvez ela vá tirar seus cochilos também". Minha mãe continuou olhando na direção da janela.

"Mas não quero que ela se sinta insegura", acrescentei.

"Mãe, por que você se sentia insegura?"

Minha mãe fechou os olhos como se a própria pergunta pudesse fazê-la pegar no sono, mas nem por um minuto achei que tivesse dormido.

Depois de alguns instantes, ela abriu os olhos e eu falei: "Tenho um amigo, Jeremy. Ele morava na França e sua família era da aristocracia".

Minha mãe olhou para mim, depois olhou para fora da janela, e se passou um bom tempo até ela dizer: "É o que ele diz", e eu falei: "Sim, é o que ele diz", num tom de desculpas e de um jeito que deixasse claro que não precisávamos mais falar sobre ele — ou sobre a minha vida — de maneira alguma.

Bem nessa hora, o médico entrou. "Garotas", ele disse, fazendo um gesto com a cabeça. Foi até minha mãe e apertou sua mão, como tinha feito no dia anterior. "Como vocês estão hoje?" Imediatamente ele fechou a cortina ao meu redor, me separando da minha mãe. Eu o amava por muitas razões, e uma delas era esta: o modo como fazia de suas visitas uma coisa só nossa. Ouvi a cadeira da minha mãe se mexendo e soube que ela tinha saído do quarto. O médico segurou meu braço para tomar meu pulso, e quando gentilmente ergueu minha bata hospitalar para examinar o corte, como fazia todos os dias, observei suas mãos — adoráveis e de dedos grossos, sua aliança de ouro lisa e brilhante — pressionando com delicadeza a área próxima do

46

corte, e ele olhou para o meu rosto para ver se doía. Perguntou isso erguendo as sobrancelhas, e eu fiz que não com a cabeça. O corte estava cicatrizando bem. "Cicatrizando bem", ele disse, e eu falei: "É, eu sei". E nós sorrimos, porque isso parecia significar alguma coisa — que não era o corte que estava me mantendo doente. O sorriso era o nosso reconhecimento de *alguma coisa*, quero dizer. Nunca mais esqueci esse homem, e por muitos anos fiz doações ao hospital em nome dele. Na época eu pensei, e até hoje penso, na expressão "imposição de mãos".

A caminhonete. Às vezes ela me vem com uma clareza que eu acho espantosa. As janelas sujas de poeira, a inclinação do para-brisa, o painel de instrumentos encardido, o cheiro de diesel, de maçãs podres, de cachorros. Não sei, em números, quantas vezes fiquei trancada na caminhonete. Não sei quando foi a primeira vez, não sei quando foi a última. Mas eu era muito nova, provavelmente não tinha mais que cinco anos na última vez, senão teria ficado na escola o dia todo. Eu era colocada lá porque minha irmã e meu irmão estavam na escola — é o que eu penso agora — e os meus pais estavam trabalhando. Outras vezes me punham lá como punição. Lembro de bolachas de água e sal com pasta de amendoim, que eu não conseguia comer por estar assustada demais. Lembro de bater no vidro das janelas, gritando. Eu não achava que ia morrer, não acho que pensasse em alguma coisa, era apenas terror, ao perceber que ninguém viria, vendo o céu escurecer e sentindo o frio começando a entrar. Eu sempre gritava e gritava. Chorava até mal conseguir respirar. Aqui em Nova York, vejo crianças chorando de cansaço, o que é real, e às vezes só por manha, o que é real. Mas de vez em quando vejo uma criança chorando no mais profundo desespero, e acho que esse é um dos sons mais verdadeiros que uma criança pode fazer. Nesses momentos, sinto como se eu ouvisse dentro de mim o som do meu próprio coração se partindo, do modo como dava para ouvir ao ar livre — quando as condições eram perfeitas — o milho crescendo nos campos da minha juventude. Já conheci muitas pessoas, inclusive do Centro-Oeste dos Estados Unidos, que me disseram que não dá para ouvir o milho crescendo, mas elas estão enganadas. Não dá para ouvir o meu coração se partindo, e sei que isso é verdade, mas para mim eles são inseparáveis, o som do milho crescendo e o som do meu coração se partindo. Já cheguei a sair de vagões de metrô para não precisar ouvir uma criança chorando desse jeito.

Minha mente vagava por lugares muito estranhos nessas ocasiões em que eu estava na caminhonete. Achava que estava vendo um homem vindo na minha direção, achava que estava vendo um monstro, uma vez achei que vi minha irmã. Depois eu me acalmava e dizia alto para mim mesma: "Está tudo bem, querida. Logo uma mulher boazinha vai chegar. Você é uma garota muito boa, você é uma garota muito boa mesmo, ela é parente da mamãe e vai pedir pra você morar com ela porque ela está sozinha e quer uma garotinha boa para morar com ela". Eu tinha essa fantasia, e ela era muito real para mim, me mantinha calma. Eu sonhava que não tinha frio, que tinha lençóis limpos, toalhas limpas, uma privada que funcionava e uma cozinha ensolarada. Eu me permitia ir aos céus dessa forma. Mas depois o frio chegava, o sol baixava e o meu choro recomeçava, primeiro como um gemido, depois mais forte. Depois meu pai aparecia, destrancava a porta e às vezes me carregava. "Não há razão para chorar", ele dizia às vezes, e me lembro da sensação de sua mão quente na minha nuca.

O médico, que carregava sua tristeza de forma tão adorável, tinha vindo ver como eu estava na noite anterior. "Eu tenho um paciente no outro andar", ele disse. "Deixe eu ver como você está." E fechou a cortina em torno de mim, como sempre fazia. Ele não mediu minha temperatura com um termômetro, mas colocando a mão na minha testa, e depois tomou minha pulsação com os dedos no meu pulso. "Está certo, então", ele disse. "Durma bem." Ele cerrou o punho e o beijou, estendendo-o no ar enquanto abria a cortina e saía do quarto. Por muitos anos amei esse homem. Mas eu já disse isso.

Além de Jeremy, a única amiga que eu tive no Village nesse período da minha vida era uma sueca alta chamada Molla; ela era pelo menos dez anos mais velha que eu, mas também tinha filhos pequenos. Ela passou pela nossa porta um dia com os filhos, a caminho do parque, e já começou a conversar comigo sobre coisas bem pessoais. Sua mãe não tinha tratado ela bem, ela contou, então quando teve o primeiro filho ficou muito triste, e seu psiquiatra tinha dito que ela estava sofrendo por tudo que não havia recebido da própria mãe, e assim por diante. Não duvidei dela, mas o que achei interessante não foi sua história. Foi seu estilo, seu jeito de se expressar com franqueza sobre coisas que eu não sabia que as pessoas falavam. E ela não estava realmente interessada em mim, o que era libertador. Ela gostava de mim, era legal comigo, era mandona e me dizia como segurar meus bebês e como levá-los ao parque, então eu também gostei dela. Na maior parte do tempo, ela era como assistir a um filme estrangeiro ou a alguma coisa estrangeira, o que é claro que ela era. Ela fazia referências a filmes, e eu nunca sabia do que ela estava

falando. Ela deve ter percebido isso, e era educada nesse sentido, ou talvez não acreditasse que eu pudesse ter uma expressão
vazia quando ela falava de filmes de Bergman ou de programas
de televisão dos anos 1960, ou de música também. Eu não tinha conhecimento de cultura popular, como eu disse. Naquela
época eu mal conhecia a mim mesma. Meu marido sabia disso e
tentava me ajudar quando estava por perto, talvez dizendo: "Ah,
minha mulher não viu muitos filmes quando jovem, não se preocupe". Ou: "Os pais da minha mulher eram rigorosos e não a
deixavam ver televisão". Sem revelar minha infância de pobreza,
porque mesmo os pobres tinham TVs. Quem teria acreditado?

"Mamãe", eu disse baixinho na noite seguinte.

"Sim?"

"Por que você veio pra cá?" Houve uma pausa, como se ela estivesse mudando de posição na cadeira, mas minha cabeça estava virada na direção da janela. "Porque seu marido me ligou e pediu. Ele precisava de alguém que ficasse de babá pra você, eu acho." Por um longo tempo houve silêncio, talvez dez minutos, talvez tenha sido quase uma hora, realmente não sei, mas por fim falei: "Bom, de qualquer forma, obrigada", e ela não respondeu. No meio da noite, acordei de um pesadelo do qual não conseguia me lembrar. A voz dela veio baixa: "Wizzlezinha, durma. Ou, se não consegue dormir, apenas descanse. Por favor, descanse, querida".

"Você não dorme nunca", eu disse, tentando sentar. "Como pode ficar a noite toda sem dormir? Mãe, já são duas noites assim!"

"Não se preocupe comigo", ela disse. E acrescentou: "Gosto do seu médico. Ele está cuidando de você. Os residentes não sabem de nada, como poderiam? Mas ele é bom, vai fazer você melhorar".

"Eu também gosto dele", eu disse. "Eu amo ele."

Alguns minutos depois, ela disse: "Sinto muito por termos tido tão pouco dinheiro quando vocês, crianças, estavam crescendo. Sei que era humilhante". No escuro senti meu rosto ficar muito quente. "Não acho que tinha importância", eu disse.

"Claro que tinha."

"Mas agora estamos todos bem."

"Não tenho tanta certeza." Ela disse isso pensativa. "Seu irmão é quase um homem de meia-idade que dorme com porcos e lê livros infantis. E Vicky — ela ainda tem raiva disso. As crianças zombavam de vocês na escola. Seu pai e eu não sabíamos, e acho que deveríamos ter sabido. Vicky ainda tem bastante raiva."

"De você?"

"É, acho que sim."

"Que bobagem", eu disse.

"Não. O que se espera é que as mães protejam seus filhos."

Depois de um tempo eu disse: "Mãe, há mães que vendem seus filhos para comprar drogas. Há mães que somem por dias e simplesmente abandonam suas crianças. Há…". Parei. Eu estava cansada do que estava soando falso.

Ela disse: "Você foi um tipo de criança diferente da Vicky. E do seu irmão também. Você não se importava muito com o que as pessoas pensavam".

"Por que você diz isso?", eu perguntei.

"Bom, olhe para a sua vida agora. Você simplesmente foi em frente e… conseguiu."

"Entendo." Mas eu não entendia. Como é que chegamos a entender alguma coisa sobre nós mesmos? "Quando eu era pequena e ia para a escola", eu disse, deitada de costas na cama do hospital, as luzes dos prédios chegando pela janela, "eu ficava o dia todo com saudade de você. Não conseguia falar quando um professor me chamava, porque eu tinha um nó na garganta. Não sei quanto tempo isso durou. Mas eu sentia tanto a sua falta que às vezes ia para o banheiro chorar."

"Seu irmão vomitava."

Esperei um minuto. Muitos minutos se passaram. Por fim ela disse: "Todo dia de manhã antes de ir pra escola, no quinto ano, seu irmão vomitava. Nunca descobri por quê".

"Mãe", eu disse, "que livros infantis ele lê?"

"Aqueles da garotinha na campina, há diversos deles. Ele adora esses livros. Ele não é burro, sabe."

Voltei os olhos para a janela. A luz do edifício Chrysler brilhava como o farol que ele era, com as maiores e melhores esperanças para a humanidade e suas aspirações e seu desejo por beleza. Era o que eu queria dizer para a minha mãe sobre esse prédio que víamos.

Falei: "Às vezes eu lembro da caminhonete".

"Caminhonete?" A voz da minha mãe pareceu surpresa. "Não sei nada de caminhonete", ela disse. "Você está falando da velha Chevy do seu pai?"

Eu queria dizer — ah, como eu queria dizer: Nem mesmo naquela vez em que havia aquela cobra muito, muito comprida e marrom lá dentro comigo? Eu queria perguntar isso para ela, mas não suportava pronunciar a palavra, até hoje mal consigo dizer a palavra e contar para quem quer que seja como fiquei assustada quando vi que tinha sido trancada na caminhonete com aquele troço tão comprido e marrom... E ele se movia rápido. Muito rápido.

Quando eu estava no sexto ano, chegou um professor do Leste. Ele se chamava sr. Haley e era jovem; ele dava aula de estudos sociais. Lembro de duas coisas a seu respeito: a primeira é que um dia precisei ir ao banheiro, coisa que odiava fazer porque chamava a atenção para mim. Ele me deu o passe e assentiu uma vez com a cabeça, sorrindo. Quando voltei para a sala e me aproximei dele para devolver o passe — era um bloco largo de madeira que precisávamos segurar no corredor para provar que tínhamos permissão para estar fora da sala de aula —, quando devolvi o passe para ele, vi Carol Darr, uma garota popular, fazer alguma coisa, uma espécie de gesto com a mão, ou algo do tipo, que eu sabia, por experiência, que era para zombar de mim, e ela fazia isso para que os seus amigos também rissem de mim. Lembro que o rosto do sr. Haley ficou vermelho e ele disse: Jamais pensem que vocês são melhores do que alguém, eu não vou tolerar isso na minha sala, aqui não há ninguém melhor que alguém. Acabei de testemunhar expressões no rosto de alguns de vocês que indicam que vocês pensam que são melhores do que outra pessoa, e não vou tolerar isso na minha sala, não vou mesmo.

Olhei de relance para Carol Darr. Na minha lembrança ela estava envergonhada, sentindo-se mal.

Fiquei quieta, absoluta e imediatamente apaixonada por esse homem. Não faço ideia de onde ele esteja agora, se ainda está vivo, mas ainda amo esse homem.

A outra coisa sobre o sr. Haley é que ele nos ensinou sobre os índios. Até então eu não sabia que tínhamos tomado suas terras de um modo tão fraudulento, o que levou Black Hawk a se rebelar. Eu não sabia que os brancos davam uísque para eles, que os brancos matavam suas mulheres em seus próprios milharais. Eu senti que amava Black Hawk como amava o sr. Haley, que eles eram homens valentes e maravilhosos, e eu não podia acreditar que Black Hawk tinha sido levado de cidade em cidade depois que foi capturado. Li sua autobiografia assim que pude. E lembro da frase em que ele diz: "Como deve ser macia a língua dos brancos, capaz de fazer o certo parecer errado e o errado parecer certo". Preocupava-me também que sua autobiografia, que tinha sido transcrita por um intérprete, não fosse precisa, por isso me perguntei: Quem é Black Hawk de fato? E tive a impressão de que ele era forte, confuso, e quando falava em "o nosso Grande Pai, o Presidente", ele usava palavras bonitas, e isso me deixou triste.

Tudo isso, estou dizendo, me impressionou demais, a forma indigna como tínhamos tratado essas pessoas. E um dia, quando voltei para casa, vindo da escola, depois de aprendermos sobre como as índias plantavam um milharal e os brancos iam lá e reviravam a terra, minha mãe estava na frente da nossa casa-garagem, para onde tínhamos acabado de nos mudar, talvez ela estivesse tentando arrumar alguma coisa, não lembro, mas ela estava agachada junto da porta da frente e eu disse: "Mamãe, sabe o que a gente fez com os índios?". Falei isso devagar e espantada.

Minha mãe secou o cabelo com as costas da mão. "Não dou a mínima para o que a gente fez com os índios", ela disse.

O sr. Haley foi embora no final do ano. Pelo que me lembro, ele ia servir no Exército, e só pode ter sido no Vietnã, já que foi naquela época. Procurei seu nome no Monumento aos Veteranos em Washington, D.C., e ele não está lá. Não sei mais nada sobre ele, mas na minha lembrança depois disso Carol Darr me tratou bem — na aula dele. Todos nós gostávamos dele, é o que eu quero dizer. Nós o respeitávamos. Não é pouca coisa um homem conseguir isso com uma turma de crianças de doze anos, mas ele conseguiu.

Ao longo dos anos, tenho pensado nos livros que minha mãe disse que meu irmão estava lendo. Eu também tinha lido esses livros; eles não me tocaram muito profundamente. Como eu falei, meu coração estava com Black Hawk, e não com aqueles brancos que moravam na campina. Então pensei sobre esses livros: o que havia neles que meu irmão gostava? A família dessa série era uma boa família. Eles percorreram um longo caminho até chegar à campina, às vezes enfrentavam problemas, mas a mãe era sempre boa e o pai os amava muito. Minha filha Chrissie também acabou adorando esses livros.

Quando Chrissie fez oito anos, comprei para ela o livro sobre Tilly que tinha significado muito para mim. Chrissie amava ler; fiquei feliz em vê-la desembrulhar esse livro. Ela o desembrulhou numa festa de aniversário que fiz para ela, e sua amiga cujo pai era músico estava lá. Quando foi buscar a filha depois da festa, ele ficou conversando e mencionou o artista que eu havia conhecido na faculdade. O artista tinha se mudado para Nova York não muito tempo depois de mim. Falei que o conhecia. O músico disse: Você é mais bonita que a mulher dele. Não, ele respondeu, quando perguntei. O artista não tinha filhos.

Alguns dias depois, Chrissie me disse sobre o livro em que Tilly aparecia: "Mãe, é um livro meio bobo".

Mas os livros que meu irmão amava sobre a garota na campina, esses Chrissie ainda ama também.

No terceiro dia em que minha mãe ficou sentada aos pés da minha cama, vi o cansaço em seu rosto. Não queria que ela fosse embora, mas ela parecia incapaz de aceitar a tentativa das enfermeiras de trazer uma cama portátil, e senti que ela logo ia embora. Como muitas vezes aconteceu comigo, comecei a temer isso por antecipação. Lembro que meu primeiro temor por antecipação teve a ver com o dentista da minha infância. Como dispúnhamos de pouco tratamento odontológico na juventude, e como geneticamente se achava que tínhamos "dentes moles", era natural que qualquer ida ao dentista fosse cercada de medo. O dentista oferecia um atendimento gratuito de um modo mesquinho, tanto em termos de tempo quanto de trato, como se nos odiasse por sermos quem éramos, e eu ficava o tempo todo preocupada depois que ouvia que ia ter que vê-lo. Eu não ia com frequência. Mas logo eu percebi isto: você está perdendo tempo quando sofre duas vezes. Menciono isso só para mostrar quantas coisas a mente não consegue se forçar a fazer, mesmo querendo.

* * *

Foi a Sisuda quem veio me dizer no meio da noite seguinte que os exames de sangue tinham voltado do laboratório e que eu precisava fazer uma tomografia computadorizada imediatamente. "Mas estamos no meio da noite", minha mãe disse. A Sisuda falou que eu precisava ir, portanto eu disse: "Vamos, então", e logo alguns auxiliares apareceram, me colocaram na maca, eu acenei com os dedos para a minha mãe e eles foram me levando de um elevador grande para outro. Os corredores estavam escuros e os elevadores também; tudo parecia um breu. Eu ainda não tinha saído do meu quarto à noite, não tinha visto como a noite era diferente do dia até mesmo num hospital. Depois de um trajeto muito longo e de muitas voltas, fui empurrada para dentro de uma sala, onde alguém pôs um tubo pequeno no meu braço e outro tubo pequeno pela minha garganta. "Não se mexa", disseram. Eu não conseguia nem assentir com a cabeça.

Depois de um longo tempo — com isso quero dizer que não sei precisar em tempo ou duração reais —, fui empurrada para dentro do círculo do aparelho de tomografia, houve alguns cliques, até que a máquina morreu. "Merda", disse uma voz atrás de mim. Fiquei deitada ali por outro longo período. "A máquina quebrou", disse a voz, "mas precisamos dessa tomografia, senão o médico vai matar a gente." Fiquei deitada ali muito tempo, e estava com muito frio. Aprendi que hospitais quase sempre são frios. Eu tremia, mas ninguém percebeu; tenho certeza de que teriam me dado um cobertor. Eles só queriam que a máquina funcionasse, e eu entendi isso.

Finalmente fui empurrada para dentro da máquina, os cliques soaram corretos, e minúsculas luzes vermelhas piscaram; depois o tubo foi tirado da minha garganta e eu fui levada pelo corredor. Esta é a lembrança que eu acho que jamais vou esquecer: minha mãe sentada na sala de espera escura ali no fundo do porão daquele hospital, os ombros ligeiramente caídos de cansaço, mas sentada com toda a aparente paciência do mundo. "Mamãe", sussurrei, e ela acenou para mim. "Como você conseguiu me encontrar?"

"Não foi fácil", ela disse. "Mas usei a voz que tenho na cabeça."

Na manhã seguinte, a Enxaqueca chegou com a notícia de que o resultado dos exames tinha sido bom, que apesar do que havia aparecido no meu exame de sangue a tomografia estava o.k., o médico me explicaria tudo depois. Enxaqueca também levou uma revista de fofoca e perguntou se a minha mãe gostaria de ler. Minha mãe rapidamente disse que não com a cabeça, como se tivessem pedido para ela tocar nas partes íntimas de uma pessoa. "Eu quero", falei para a Enxaqueca, estendendo a mão, ela me deu a revista e eu agradeci. A revista ficou na minha cama a manhã inteira. Depois, guardei-a numa gaveta na minha mesa de cabeceira onde estava o telefone, e fiz isso — escondi-a — caso o médico entrasse. Portanto eu era como a minha mãe: nós duas não queríamos ser julgadas pelo que líamos, e enquanto ela nem mesmo leria uma coisa daquela, eu só não queria ser vista com ela. Isso me parece estranho tantos anos depois. Eu estava no hospital e, basicamente, ela também; que forma melhor de passar o tempo do que lendo alguma coisa para distrair a cabeça? Alguns livros de casa estavam perto da minha cama, embora eu não os tivesse lido com minha mãe ali, nem ela tivesse olhado para eles. Mas quanto à revista, tenho certeza de que ela não teria arrancado nenhum pedaço do coração do meu médico. Mas éramos sensíveis assim, minha mãe e eu. Há este constante julgamento no mundo: como ter certeza de que não nos sentimos inferiores aos outros?

Era só uma revista sobre estrelas de cinema, do tipo que minhas meninas e eu, quando elas ficaram mais velhas, folheávamos por diversão se precisávamos matar o tempo, e aquela revista, em especial, costumava trazer a história de uma pessoa comum que tinha passado por uma coisa extraordinariamente horrível. Quando tirei a revista da gaveta à tarde, li um artigo sobre uma mulher que uma tarde tinha entrado num celeiro em Wisconsin em busca do marido e teve o braço decepado — decepado mesmo, com um machado — por um homem que tinha fugido do hospício estadual. Isso aconteceu enquanto seu marido, amarrado a uma estaca junto das baias dos cavalos, assistia. Ele gritou, o que fez os cavalos relinchar, e acho que a mulher deve ter gritado como louca também — não constava que ela tivesse desmaiado —, e o som desses barulhos fez o homem que tinha fugido do hospício sair correndo. A mulher, que facilmente poderia ter sangrado até morrer, já que o sangue jorrava de suas artérias, conseguiu pedir ajuda; um vizinho chegou correndo e amarrou um torniquete em seu braço, e depois disso o marido, a mulher e o vizinho decidiram dar início a cada dia orando juntos. Havia uma foto deles sob o sol da manhã próximos da porta do celeiro de Wisconsin, e eles estavam orando. A mulher orava com o braço e com a mão que restaram; eles esperavam conseguir logo uma prótese para ela, mas havia a questão do dinheiro. Falei para a minha mãe que achava de mau gosto fotografar pessoas orando, e ela disse que a coisa toda era de mau gosto.

"Mas ele é um marido de sorte", ela disse depois de alguns instantes. "Vejo nesses programas noticiários que um homem às vezes é obrigado a ver a sua mulher sendo estuprada."

Baixei a revista. Olhei para a minha mãe aos pés da cama, para aquela mulher que eu não via fazia anos. "Sério?", perguntei.

"Sério o quê?"

"Um homem ver a sua mulher sendo estuprada? O que você anda assistindo, mãe?" Não acrescentei o que eu mais queria: e quando foi que vocês compraram uma TV?

"Vi na televisão, acabei de te dizer."

"Mas no noticiário mesmo ou num desses programas de série policial?"

Eu vi — ou achei que vi — minha mãe refletir sobre isso, e ela disse: "No noticiário, uma noite na casa de Vicky. Em algum lugar num desses países horríveis". Seus olhos fecharam rápido.

Peguei a revista de novo e a folheei. Eu disse: "Ei, olha — esta mulher tem um vestido bonito. Mãe, olha que vestido bonito". Mas ela não respondeu nem abriu os olhos.

Foi assim que o médico nos encontrou nesse dia. "Garotas", ele disse, e então parou quando viu minha mãe de olhos fechados. Deu só um passo para dentro do quarto, tanto ele quanto eu observando por um instante se minha mãe estava mesmo dormindo ou se ela ia abrir os olhos. Aquele momento, nós dois esperando pra ver, me fez lembrar de como, quando eu era criança, houve vezes em que eu quis desesperadamente correr até um estranho quando íamos para a cidade e dizer: "Você precisa me ajudar, por favor, por favor, você pode, por favor, me tirar de lá, coisas ruins estão acontecendo...". No entanto nunca fiz isso, claro; instintivamente eu sabia que nenhum estranho iria me ajudar, nenhum estranho se atreveria, e que no fim uma traição daquela tornaria as coisas muito piores. Então, naquele momento, deixei de observar minha mãe para observar meu médico, pois em essência aquele era o estranho pelo qual eu tinha esperado, e ele se virou e deve ter visto alguma coisa no meu rosto, e eu — muito rapidamente — achei ter visto alguma coisa no rosto dele, e ele ergueu a mão para indicar que voltaria depois, e quando ele saiu me senti caindo numa coisa familiar, escura e muito antiga. Os olhos da minha mãe permaneceram fechados por muitos minutos ainda. Até hoje não faço ideia se ela estava dormindo ou se estava apenas me evitando. Então senti uma vontade enorme de falar com as minhas próprias filhas, mas como a minha mãe estava dormindo, eu iria acordá-la se falasse no telefone, que estava ao lado da cama, e além disso as meninas estariam na escola.

O dia todo eu quis falar com as minhas meninas; mal conseguia suportar isso, então fui empurrando todo o meu aparato até o corredor, perguntei às enfermeiras se eu podia fazer uma ligação da sala delas, elas empurraram um telefone na minha direção e eu liguei para o meu marido. Estava desesperada para que nenhuma lágrima escapasse dos meus olhos. Ele estava no trabalho e se sentiu mal por mim ao ouvir o quanto eu andava sentindo falta dele e das crianças. "Vou ligar para a babá e pedir que ela telefone para você assim que elas chegarem em casa. Chrissie vai se encontrar com uma amiguinha hoje."

Então a vida continua, pensei.

(E agora eu penso: ela continua até não continuar mais.)

Precisei sentar numa cadeira na sala das enfermeiras enquanto tentava não chorar. Enxaqueca passou um braço em volta de mim, e até hoje eu a amo por isso. Algumas vezes já me senti triste por Tennessee Williams ter escrito aquela frase para Blanche DuBois: "Sempre dependi da bondade de estranhos". Muita gente já foi salva diversas vezes pela bondade de estranhos, mas depois de um tempo isso soa batido, como um adesivo de carro. Isso é que me entristece, que uma frase linda e verdadeira seja usada tantas vezes a ponto de parecer tão superficial quanto um adesivo de carro.

Eu estava secando o rosto com meu braço nu quando minha mãe me encontrou, e todas nós — Enxaqueca, eu e as outras enfermeiras — acenamos para ela. "Achei que você estava cochilando", eu disse enquanto nós duas voltávamos para o meu quarto. Ela disse que tinha cochilado, sim. "A babá talvez ligue logo", eu disse, e contei que Chrissie ia se encontrar com uma amiguinha.

"Como assim?", minha mãe perguntou.

Fiquei contente por estarmos sozinhas. "Ela vai brincar na casa de alguém depois da escola."

"Com quem ela vai brincar?", minha mãe perguntou, e senti que a pergunta era sua maneira de ser agradável depois do que ela devia ter visto em meu rosto, a minha tristeza.

Enquanto caminhávamos pelo corredor do hospital, contei sobre a amiga de Chrissie, que a mãe dela era professora do quinto ano e o pai era músico, mas também um idiota de certa forma, e que eles não eram felizes no casamento, mas que as meninas pareciam gostar bastante uma da outra, e minha mãe assentiu com a cabeça enquanto eu dizia tudo isso. Quando entramos no meu quarto, o médico estava lá. Ele tinha uma expressão profissional ao fechar a cortina e apalpar meu corte. Ele disse de repente: "Sobre o susto de ontem à noite: o exame de sangue indicou uma inflamação e precisávamos da tomografia. Faça sua febre baixar, mantenha algo sólido no estômago e poderemos mandar você para casa". Sua voz estava tão diferente que cada palavra era como um tapa que ele me dava. Respondi: "Sim, senhor" sem olhar para ele. Aprendi isto: a pessoa se cansa. A mente ou a alma, ou qualquer que seja a palavra que temos para o que quer que não seja só corpo, se cansa, e isso, concluí, é — na maior parte das vezes — a natureza nos ajudando. Eu estava ficando cansada. Acho — mas não sei — que ele também estava se cansando.

A babá telefonou. Ela era apenas uma garota e ficou me garantindo que as crianças estavam indo bem. Ela pôs o telefone no ouvido de Becka e eu disse: "Logo a mamãe vai pra casa", de novo, de novo e de novo, e Becka não chorou, então fiquei feliz. "Quando?", ela perguntou, e eu continuei dizendo que logo e que a amava. "Eu amo você, e você sabe disso, certo?" "Quê?", ela falou. "Eu amo você, sinto sua falta e estou aqui longe de você pra eu poder ficar bem, e eu vou ficar bem, e logo, logo vou te ver, está bem, meu anjo?"

"Está bem, mamãe", ela disse.

No Metropolitan Museum of Art, instalado grandiosamente com seus inúmeros degraus na Quinta Avenida em Nova York, há uma área no primeiro andar conhecida como jardim das esculturas, e muitas vezes devo ter passado por uma escultura em especial com meu marido e com as meninas, à medida que elas cresciam, eu só pensando em onde arranjar comida para as crianças, sem nunca saber de verdade o que uma pessoa faz num museu dessa natureza, onde havia tantas coisas para ver. No meio dessas necessidades e preocupações, há uma estátua. E só há pouco tempo — nos últimos anos —, quando a luz a inundava de maneira esplêndida, eu de fato parei, olhei para ela e disse: Ah.

É uma estátua de mármore de um homem com seus filhos perto dele, o homem tem um desespero tão grande no rosto, as crianças aos seus pés parecem estar se agarrando, implorando, enquanto ele olha fixo para longe, para o mundo, com expressão torturada, as mãos puxando a boca, mas seus filhos olham apenas para ele, e quando eu finalmente vi isso disse por dentro: Ah.

Li a placa, que informava que os filhos estão se oferecendo

como alimento para o pai, ele está morrendo de fome na prisão e esses filhos só querem uma coisa: que o sofrimento do pai desapareça. Eles vão permitir que ele — ah, com que alegria, com que alegria — os coma. E eu pensei: Então esse cara sabia. Me referindo ao escultor. Ele sabia. Assim como o poeta que escreveu o que a escultura mostrava. Ele também sabia.

Algumas vezes fui ao museu especificamente para ver meu homem pai morrendo de fome com seus filhos, um deles agarrado à sua perna, e quando eu chegava lá não sabia o que fazer. Ele era como eu me lembrava, e então eu ficava ali parada, perdida. Mais tarde percebi que eu conseguia o que precisava quando ia vê-lo meio furtivamente, como se eu estivesse com pressa para me encontrar com outra pessoa em outro lugar ou se estivesse com alguém no museu e dizia que precisava ir ao banheiro, só para escapar e vê-lo sozinha. Mas eu não podia estar sozinha, como quando só eu ia ao museu para ver esse pai assustado e faminto. E ele está sempre lá, exceto por uma vez que não estava. O segurança disse que ele tinha ido para o andar de cima, numa exposição especial, e eu me senti insultada por toda essa coisa, por outras pessoas quererem vê-lo tanto assim!

Coitados de nós.

Pensei nessas palavras depois, que foi a resposta que dei ao segurança quando ele me disse que a estátua estava lá em cima. Coitados de nós. Não é nossa intenção sermos tão pequenos. Coitados de nós — isso passa bastante pela minha cabeça —, coitados de todos nós.

"Quem *são* essas pessoas?", minha mãe perguntou. Eu estava deitada de costas olhando para a janela; era fim de tarde e as luzes da cidade estavam começando a se acender. Perguntei à minha mãe o que ela queria dizer. Ela respondeu: "Essas pessoas idiotas nesta revista idiota, não sei o nome de nenhuma delas. Todas parecem gostar de ser fotografadas tomando café ou fazendo compras ou…". Parei de escutar. Era o som da voz da minha mãe o que eu mais queria; o que ela dizia não tinha importância. Então fiquei escutando o som da sua voz; até aqueles três últimos dias fazia um tempo enorme que eu não ouvia a sua voz, e ela estava diferente. Talvez minha memória é que estivesse diferente, pois o som da voz da minha mãe costumava me dar nos nervos. Esse som era o oposto disso — sempre a impressão de alguma coisa presa, da urgência.

"Olhe isso", minha mãe disse. "Wizzle, olhe isso. Minha nossa", ela disse.

Então eu sentei.

Ela me estendeu a revista de fofoca. "Você viu isso?"

Peguei a revista. "Não", respondi. "Quero dizer, eu vi, mas não dei importância."

"Não, mas, meu Deus, *eu* dou importância. O pai dela era amigo do seu pai há muito, muito tempo. Elgin Appleby. Está escrito bem aqui, olha. 'Seus pais, Nora e Elgin Appleby.' Ah, ele era um homem engraçado. Capaz de fazer até o diabo rir."

"Bom, o diabo ri com facilidade", eu disse, e minha mãe olhou para mim. "Como o papai conheceu ele?" Foi a única vez durante o curto período que ela passou comigo no hospital que lembro de ter ficado brava com ela, e isso porque ela falou muito por acaso do meu pai, dessa maneira, depois de não falar absolutamente nada dele, a não ser quando mencionou a caminhonete.

Ela disse: "Quando eles eram jovens. Vai saber, mas Elgin se mudou para o Maine e trabalhou numa fazenda lá, não sei por que se mudou. Mas olhe pra ela, essa criança, Annie Appleby. Olhe pra ela, Wizzle". Minha mãe apontou para a revista que tinha me dado. "Acho que ela parece... não sei." Minha mãe se recostou de novo na cadeira. "O que ela parece?"

"Alguém que está bem?" Eu não achava que ela parecia bem; ela parecia alguma coisa, mas eu não diria "bem".

"Não, não é bem", minha mãe respondeu. "Alguma coisa. Ela parece alguma coisa."

Olhei a foto de novo. Ela estava sentada ao lado de seu novo namorado, um ator de uma série de televisão que meu marido e eu assistíamos algumas noites. "Ela parece como alguém que viu coisas", eu acabei dizendo.

"É isso", minha mãe disse, concordando com a cabeça. "Tem razão, Wizzle. Foi o que eu também pensei."

O artigo era longo e falava mais de Annie Appleby do que do sujeito com quem ela estava. Dizia que ela tinha crescido numa fazenda de batatas no vale St. John, no condado de Aroostook, no Maine, que ela não havia terminado o ensino médio, para poder se juntar a uma companhia de teatro, e que ela sentia saudade de casa. "Claro que eu sinto", Annie Appleby dizia na reportagem. "Sinto falta da beleza todos os dias." Quando perguntaram se ela queria fazer cinema em vez de continuar nos palcos, ela respondeu: "Nem um pouco. Eu amo o fato de a plateia estar bem ali, embora eu não pense nas pessoas quando estou no placo, apenas sei o que elas precisam, que é eu ser boa no meu trabalho de atuar para elas".

Baixei a revista. "Ela é bonita", eu disse.

"Não acho ela bonita", minha mãe disse. Pareceu demorar um pouco antes de acrescentar: "Acho ela mais do que bonita. Ela é linda. Como será que é pra ela ser famosa?". Minha mãe pareceu ficar pensando sobre isso.

Talvez porque foi a primeira vez que ela mencionou meu pai desde que estava lá, e não só a caminhonete dele, ou talvez porque ela tinha chamado a filha de outra pessoa de linda, eu disse com algum sarcasmo: "Não me lembro de você alguma vez ter se importado com o fato de como seria para alguém ser famoso". Na hora senti uma coisa horrível: aquela era a minha mãe, a que tinha encontrado o caminho até o porão na noite anterior, o caminho todo até o porão daquele hospital grande e tenebroso no meio da noite, que tinha ido se certificar de que sua filha estava bem. Então eu disse: "Mas eu também já me peguei pensando nisso algumas vezes... uma vez eu vi" — e dei o nome de uma atriz famosa — "no Central Park, ela estava caminhando, e eu pensei: Como será que é pra ela?". Falei isso para ser amável com minha mãe de novo.

Minha mãe assentiu só de leve com a cabeça, olhando na direção da janela. "Num sei", disse. Alguns minutos depois, seus olhos estavam fechados.

Só muito tempo mais tarde me ocorreu que ela talvez não

conhecesse a atriz famosa que eu mencionei. Meu irmão disse, muitos anos depois, que até onde ele sabia ela nunca tinha ido ao cinema. Meu irmão também nunca tinha ido ao cinema. Quanto a Vicky, eu não sei.

Vi o artista que eu tinha conhecido na faculdade alguns anos depois de ter saído do hospital, em um vernissage de outro artista. Era uma época ruim no meu casamento. Haviam acontecido coisas que me humilharam; meu marido tinha se tornado muito próximo da mulher que levara minhas filhas ao hospital e que não tinha filhos. Pedi que ela não fosse mais à nossa casa, e ele concordou. Mas tenho quase certeza de que tivemos uma discussão na noite em que fomos a esse vernissage. Lembro que nem troquei de blusa. Era uma blusa de malha roxa que usei com uma saia, vestindo no final o sobretudo azul e comprido do meu marido; meu marido acho que foi com sua jaqueta de couro. Lembro que fiquei surpresa em ver o artista lá. Ele pareceu nervoso quando me viu, e seus olhos passaram pela minha blusa de malha roxa e pelo sobretudo azul-marinho — ambos não caíam bem em mim e as cores não combinavam; só fui perceber isso quando cheguei em casa, me olhei no espelho e vi o que ele tinha visto. Não tinha importância. Meu casamento é que tinha. Mas ver o artista naquela noite teve importância, a ponto de muitos anos depois eu ainda conseguir visualizar o longo sobretudo azul e minha extravagante blusa roxa. Ele ainda era a única pessoa que me fazia autoconsciente das minhas roupas, e isso — a meu ver — era curioso.

Já disse isto antes, do meu interesse sobre como encontramos maneiras de nos sentir superiores a outra pessoa, a outro grupo de pessoas. Acontece em todo lugar o tempo todo. Seja lá que nome damos a isso, acho que é a parte mais baixa de nós, essa necessidade de encontrar alguém para diminuir.

A escritora Sarah Payne, que eu havia encontrado na loja de roupas, ia falar num evento na Biblioteca Pública de Nova York. Li isso no jornal alguns meses depois do meu encontro com ela. Fiquei surpresa; ela quase não aparecia em público, e imaginei que fosse muito reservada. Quando comentei isso com alguém que disse que a conhecia de vista, essa pessoa falou: "Ela não é tão reservada, Nova York é que simplesmente não gosta dela". Isso me fez lembrar do homem que tinha falado dela como sendo uma boa escritora, exceto por sua tendência a ser compassiva. Fui vê-la nesse evento; William não foi, disse que preferia ficar em casa com as crianças. Era verão, e nem de longe havia tanta gente quanto eu achei que fosse haver. O homem que tinha feito aquele comentário sobre ela — sobre o negócio da comiseração — estava sentado sozinho na última fileira. O evento era sobre ficção: o que era, esse tipo de coisa. Uma personagem de Sarah Payne em um de seus livros se referia a um ex-presidente dos Estados Unidos como "um velho senil cuja mulher governava o país com suas cartas de astrologia". Parece que Sarah Payne tinha recebido mensagens de ódio de pessoas que diziam estar gostando do livro até chegarem à parte em que essa personagem se referia a um dos nossos presidentes dessa forma. O moderador pareceu surpreso ao ouvir isso. "Sério?" Ele era um bibliotecário ali da biblioteca. Ela disse: "Sério". "E você responde essas cartas?" O bibliotecário perguntou isso enquanto seus dedos, com certa precisão, tocavam a parte de baixo do seu microfone. Ela falou que não respondia. Ela disse, e seu rosto não brilhava tanto como quando a vi na loja de roupas: "Meu trabalho não é fazer os leitores entenderem o que é uma voz narrativa e o que é o ponto de vista do autor", e só isso já me fez ficar contente por estar ali. O bibliotecário parecia incapaz de entender. "O que você quer dizer com isso?", ele continuou falando, e ela apenas repetia o que já tinha dito. Ele perguntou: "Qual é o seu trabalho como escritora de ficção?". E ela respondeu que o trabalho dela como escritora de ficção era falar da condição humana, nos dizer quem somos, o que pensamos e o que fazemos.

Uma mulher na plateia ergueu a mão e disse: "Mas você pensa mesmo isso sobre o nosso ex-presidente?".

Sarah Payne esperou um instante e em seguida disse: "Certo, vou falar o seguinte. Se essa mulher sobre a qual eu escrevi de maneira fictícia chama o homem de senil e velho e diz que ele tem uma mulher que governa com suas cartas de astrologia, então eu diria" — e ela assentiu firme com a cabeça, e esperou — "e quero dizer: eu, Sarah Payne, cidadã deste país, diria que a mulher que *inventei* pega bem leve com ele".

As plateias de Nova York podem ser difíceis, mas o público entendeu o que ela quis dizer, e vi pessoas assentindo com a cabeça e cochichando umas com as outras. Olhei para trás, para o homem da última fileira, e ele não parecia demonstrar nenhuma emoção. Ao final da noite, eu o ouvi dizer para uma mulher que tinha ido falar com ele: "Ela sempre se saiu bem no palco".

Ele não falou isso de maneira elogiosa, foi a impressão que tive.

E eu voltei de metrô para casa sozinha; não era uma dessas noites em que eu amava a cidade na qual vivia fazia tanto tempo. Mas eu não sabia dizer exatamente por quê. Eu poderia quase dizer por quê. Mas não exatamente.

Então comecei a registrar esta história naquela noite. Algumas partes dela.

Comecei a tentar.

Naquela noite no hospital quando senti que tinha sido grosseira com minha mãe ao dizer que não achava que alguma vez ela já tivesse se importado com o fato de como seria ser famoso, eu não conseguia pegar no sono. Estava agitada; tinha vontade de chorar. Quando minhas próprias filhas choravam, eu desmoronava, beijava as duas e tentava entender qual era o problema. Talvez eu exagerasse. E quando eu discutia com William, às vezes eu chorava, e logo descobri que ele não era um homem que odiava ouvir uma mulher chorando, como muitos homens, e que isso quebrava qualquer frieza que houvesse nele, e ele quase sempre me abraçava se eu chorava muito forte, dizendo: "Está tudo bem, Button, a gente dá um jeito". Mas com a minha mãe eu não me atrevia a chorar. Os meus pais detestavam choro, e é difícil para uma criança que está chorando ter que parar, sabendo que se não fizer isso tudo vai piorar. Não é uma posição fácil para uma criança. E minha mãe — naquela noite no quarto do hospital — era a mãe que eu tinha tido durante toda a minha vida, por mais diferente que ela parecesse com sua voz imperiosa e baixa, com seu rosto mais suave. O que eu quero dizer é que tentei não chorar. No escuro, percebi que ela estava acordada. Em seguida, senti ela apertar meu pé por cima do lençol. "Mamãe", eu disse, sentando na hora. "Mamãe, por favor, não vá embora!" "Eu não vou a lugar nenhum, Wizzle", ela disse. "Estou bem aqui. Você vai ficar bem. Vai ter que enfrentar um monte de coisas na vida, mas as pessoas passam por isso. Já vi algumas coisas assim no seu caso, quero dizer, tive algumas visões, mas com você..."

Fechei os olhos com força — *Não ouse derramar uma porra de uma lágrima, sua idiota* — e apertei minha perna com tanta força que quase não acreditei no quanto doeu. E aí passou. Virei de lado. "Comigo o quê?", eu disse, e agora podia dizer isso com calma.

"Com você, eu nunca tenho certeza do quanto essas coisas são precisas. Elas costumavam ser precisas com você."

"Como quando você soube que eu tinha tido Chrissie", falei.

"Sim. Mas eu não..."

"Sabia o nome dela." Falamos isso juntas, e no escuro me pareceu que tínhamos sorrido juntas também. Minha mãe disse: "Durma, Wizzle, você precisa dormir. E se não consegue dormir, apenas descanse".

De manhã o médico veio e fechou a cortina à minha volta, e quando viu o hematoma vermelho na minha coxa não tocou nele, mas o olhou com atenção, e depois olhou para mim. Ele ergueu as sobrancelhas e, para o meu horror, lágrimas escaparam pelo canto dos meus olhos. Ele assentiu com a cabeça gentilmente, embora tudo isso tenha sido muito rápido. Pôs a mão na minha testa, como se para ver se eu tinha febre, e a deixou ali enquanto lágrimas continuavam escorrendo dos meus olhos. Ele moveu o polegar uma vez, como se para secar uma lágrima. Meu Deus, como ele era bondoso. Era um homem muito, muito bondoso. Dei-lhe um sorriso minúsculo de obrigada, um sorriso minúsculo e torto que pedia desculpa.

Ele assentiu com a cabeça e disse: "Você vai ver aquelas crianças logo. Vamos fazer você voltar para casa e para o seu marido. Você não vai morrer sob os meus cuidados, eu prometo".

E então ele cerrou o punho e o beijou, estendendo-o na minha direção.

Sarah Payne ia dar um curso de uma semana no Arizona, e fiquei surpresa quando William se ofereceu para pagar a minha ida lá. Isso foi poucos meses depois de eu tê-la encontrado na Biblioteca Pública de Nova York. Eu não tinha certeza se queria ficar longe das crianças por tanto tempo, mas William me incentivou. O curso era chamado de "oficina", e, não sei por quê, nunca gostei deste nome: "oficina". Só fui porque era ministrado por Sarah Payne. Quando a vi na sala de aula, abri um largo sorriso para ela, achando que ela ia se lembrar de mim, do nosso encontro na loja de roupas. Mas ela apenas respondeu com um aceno de cabeça, e demorei alguns instantes para entender que ela não tinha me reconhecido. Talvez seja verdade isto de que a gente deseja um pequeno reconhecimento de alguém famoso, que eles nos vejam.

As aulas aconteciam num prédio antigo no alto de uma colina, fazia calor, as janelas estavam abertas, e observei Sarah Payne ficar exausta quase de imediato. Vi isso em seu rosto. Já no final da primeira hora, seu rosto parecia caído, do modo como a argila branca perde a forma quando não está fria o suficiente, essa é a imagem que me vem, de que o rosto dela tinha se desfeito numa forma estranha de cansaço, e ao fim das três horas isso parecia ainda mais forte, como se seu rosto de argila branca estivesse quase tremendo. Dar aquelas aulas sugava todas as suas forças, é o que quero dizer. Seu rosto estava simplesmente devastado pela fadiga. Todo dia ela começava com um pouco de vivacidade, mas em questão de minutos a fadiga se instalava. Acho que eu nunca tinha visto, ou que desde então nunca vi, um rosto que demonstrasse de maneira tão clara sua exaustão.

Havia um homem na turma cuja mulher tinha morrido de câncer não fazia muito tempo, e Sarah foi amável com ele, eu vi isso. Todos nós, acho, vimos isso. Vimos que esse homem se apaixonou por uma aluna da nossa turma que era amiga de Sarah. Correu tudo bem. A amiga não se apaixonou por ele, mas o tratou com decência, havia alguma coisa de decente no modo como essa mulher e Sarah trataram esse homem que estava sofrendo com a morte da mulher. Havia também uma professora de inglês. Havia um canadense de faces rosadas e jeito muito simpático; a turma brincava com ele por ser tão canadense, e ele levava na boa. Havia uma mulher da Califórnia que era psicanalista.

Quero relatar aqui o que aconteceu um dia, que foi um gato saltar de repente para dentro da sala, pela janela aberta, indo parar bem em cima da ampla mesa. O gato era enorme e comprido; na minha lembrança, poderia muito bem ter sido um pequeno tigre. Dei um pulo, terrivelmente assustada, e Sarah Payne pulou também; ela saltou horrorizada, tamanho foi seu susto. Em seguida o gato saiu correndo pela porta da sala de aula. A psicanalista da Califórnia, que geralmente falava muito pouco, disse para Sarah Payne nesse dia, num tom — para os meus ouvidos — quase maldoso: "Há quanto tempo você sofre de estresse pós-traumático?".

E o que eu me lembro é da expressão de Sarah. Ela odiou a mulher por ter dito isso. Ela a odiou. Houve um silêncio longo o bastante para as pessoas verem isso no rosto de Sarah, pelo menos é como eu interpreto a situação. Então o homem que havia perdido sua mulher disse: "Caramba, o gato era realmente grande". Depois disso, Sarah falou bastante para a turma sobre julgar as pessoas e sobre irmos para uma página sem julgamentos.

Naquele contexto de oficina, nos tinha sido prometido um encontro privado, e tenho certeza de que Sarah deve ter se cansado muito nesses encontros. As pessoas tendem a fazer essas oficinas porque querem ser descobertas e publicadas. Eu tinha levado partes do romance que estava escrevendo, mas no meu encontro com Sarah em vez disso levei esboços de cenas da minha mãe indo me visitar no hospital, coisas que eu tinha começado a escrever depois de ver Sarah na palestra da biblioteca; no dia anterior eu tinha deixado uma cópia das páginas no escaninho dela. Lembro, principalmente, que ela conversou comigo como se eu já a conhecesse havia muito tempo, embora em nenhum momento tenha mencionado nosso encontro na loja. "Me desculpe por estar tão cansada", ela disse. "Meu Deus, estou quase tonta." Ela se inclinou para a frente, tocando meu joelho de leve antes de se recostar de novo. "Sinceramente", ela disse baixinho, "com esta última pessoa achei que eu fosse passar mal. Passar mal de vomitar mesmo, eu simplesmente não sirvo para isso." Depois falou: "Escute, preste atenção no que eu vou dizer. O que você está escrevendo, o que você quer escrever", e ela se inclinou para a frente de novo e deu uma batidinha com o dedo no texto que eu tinha deixado com ela, "isto é muito bom e vai ser publicado. Agora escute. As pessoas vão pegar no seu pé por você associar pobreza e abuso. Que palavra mais idiota, 'abuso', que palavra convencional e idiota, as pessoas vão dizer que existe pobreza sem abuso, e você nunca responda nada. Nunca, jamais, defenda seu trabalho. Essa é uma história de amor, você sabe disso. É a história de um homem torturado todos os dias da sua vida por coisas que ele fez na guerra. É a história de uma mulher que ficou com ele, porque a maioria das mulheres daquela geração fez isso, e que vai até o quarto do hospital onde a filha está e fala compulsivamente sobre os casamentos arruinados de todo mundo, ela nem sabe disso, nem sabe que está fazendo isso. É a história de uma mãe que ama a filha. De forma imperfeita. Porque todos nós amamos de forma imperfeita. Se você se pegar protegendo alguém enquanto escreve isto, lembre-se: você não está fazendo certo". Ela se recostou de novo na cadeira e anotou títulos de livros que eu deveria ler, a maioria clássicos, e quando se levantou e eu me levantei para ir embora, ela disse de repente: "Espera" e me abraçou e fez um som de beijo nos dedos, que ela tinha levado aos lábios, e isso me fez lembrar do médico bondoso.

Eu disse: "Me senti solidária com você quando aquela mulher perguntou sobre estresse pós-traumático. Eu também dei um pulo".

Sarah disse: "Sei que você deu um pulo, eu vi. E uma pessoa que usa sua formação para diminuir os outros daquele jeito... Bom, essa pessoa não passa de uma grande idiota de merda". Ela piscou para mim, o rosto exausto, e se virou para ir.

E desde então nunca mais a vi.

"Me diga", minha mãe disse. Era o quarto dia em que minha mãe estava sentada aos pés da minha cama. "Lembra daquela Marilyn — qual era o nome dela, Marilyn Mathews, não sei qual era o nome dela. Marilyn Alguma Coisa. Lembra dela?"

"Lembro dela. Lembro", eu disse. "Claro."

"Qual era o nome dela?", minha mãe perguntou.

"Marilyn Alguma Coisa", respondi.

"Ela se casou com Charlie Macauley. Lembra dele? Claro que lembra. Não? Ele era de Carlisle e... Bom, acho que ele estava mais para a idade do seu irmão. Eles não namoraram no ensino médio, ele e Marilyn. Mas casaram, os dois foram para a faculdade — em Wisconsin, acho, em Madison, e..."

Eu disse: "Charlie Macauley. Espera. Ele era alto. Os dois estavam no ensino médio e eu ainda no fundamental. Marilyn ia à nossa igreja e ajudava a mãe a servir a comida nos jantares de Ação de Graças".

"Ah, é claro. Isso mesmo." Minha mãe assentiu com a cabeça. "Tem razão. Marilyn era uma pessoa muito boa. E eu já te disse... ela era mais da idade do seu irmão."

De repente tive uma clara lembrança de Marilyn sorrindo para mim um dia, enquanto cruzava comigo no corredor vazio depois da aula, e era um sorriso simpático, como se ela tivesse pena de mim, mas senti que não queria que seu sorriso parecesse condescendente. Era por isso que eu sempre me lembrava dela.

"Por que você se lembra dela?", minha mãe perguntou. "Se ela era assim mais velha... Por causa dos jantares de Ação de Graças?"

"Por que você se lembra dela?", eu perguntei para a minha mãe. "O que aconteceu com ela? E como é que você sabe?"

"Ah." Minha mãe soltou um grande suspiro e balançou a cabeça. "Uma mulher entrou na biblioteca um dia desses — agora eu vou à biblioteca de Hanston de vez em quando —, e essa mulher parecia com ela, com Marilyn. Eu falei: 'Você parece uma pessoa que eu conheci, que tinha mais ou menos a idade dos meus filhos'. E ela não respondeu nada, e aquilo... Isso me deixa muito irritada, sabe?"

Eu sabia, sim. Tinha passado a vida toda com essa sensação. De que as pessoas não queriam admitir a nossa existência, fazer amizade conosco. "Ah, mãe", eu disse, cansada. "Eles que se fodam."

"Que se *fodam*?"

"Você entendeu."

"Dá pra ver que você aprendeu bastante morando na cidade grande."

Sorri para o teto. Eu não conhecia uma pessoa no mundo que teria acreditado nessa conversa, mas ela era tão real quanto qualquer outra. "Mãe, eu não precisei me mudar para uma cidade grande para aprender a falar 'foda-se'."

Houve um silêncio, como se minha mãe estivesse refletindo sobre isso. Depois ela disse: "Não, você só precisava ir ao celeiro dos Pederson e ouvir os peões deles".

"Os peões falavam bem mais do que 'foda-se'", eu disse.

"Dá pra imaginar", minha mãe respondeu.

E é aqui — ao registrar isto — que eu penso mais uma vez: por que, naquele momento, eu simplesmente não falei? Por que eu simplesmente não disse: Mãe, eu aprendi todas as palavras que precisava bem naquela *porra* de garagem que a gente chamava de casa. Desconfio que eu não disse nada porque já estava fazendo o que tenho feito na maior parte da minha vida, que é encobrir os erros dos outros quando eles próprios não se dão conta de que passaram vergonha. Faço isso, acho, porque boa parte do tempo poderia ser eu. Ainda hoje tenho uma vaga noção de que eu mesma passei vergonha, e isso sempre remonta a um sentimento de infância, de que pedaços enormes de conhecimento sobre o mundo que estavam faltando jamais puderam ser repostos. Ainda assim, faço isso pelos outros, mesmo quando sinto que os outros fazem por mim. E só posso pensar que naquele dia fiz isso pela minha mãe. Só eu mesmo para não ter me sentado na cama e dito: Mãe, você não se lembra?

Já perguntei a especialistas. A pessoas bondosas, como o médico que era bondoso; não a pessoas grosseiras, como a mulher que falou daquele jeito tão maldoso com Sarah Payne quando ela deu um pulo por causa do gato. Essas pessoas ficaram pensativas e responderam quase sempre a mesma coisa: "Não sei do que a sua mãe se lembrava". Gosto desses especialistas porque eles parecem decentes e porque sinto que reconheço uma frase verdadeira quando a ouço agora. Eles não sabem do que a minha mãe se lembrava.

Eu também não sei do que a minha mãe se lembrava.

"Mas aquilo fez mesmo eu me lembrar de Marilyn", minha mãe continuou com sua voz entrecortada, "então perguntei mais tarde, naquela semana, quando vi aquela pessoa lá da... ah, você sabe, Wizzle, o lugar..."

"A Confeitaria Chatwin."

"Esse lugar", minha mãe disse. "Isso, a mulher que ainda trabalha lá — ela sabe de tudo."

"Evelyn."

"Evelyn. Então eu sentei, pedi uma fatia de bolo e uma xícara de café e disse para ela: 'Sabe, acho que dia desses eu vi Marilyn, como é mesmo o nome dela?', e essa Evelyn, eu sempre gostei dela..."

"Eu a adorava", eu disse. Não contei que a adorava porque ela foi boa com o meu primo Abel, boa comigo, nunca tendo dito uma palavra quando nos via mexendo no lixo. E a minha mãe não me perguntou por que eu a adorava.

Minha mãe falou: "Bom, ela parou de limpar o balcão e disse: 'A pobre Marilyn casou com Charlie Macauley, de Carlisle, acho que eles ainda estão morando aqui perto, mas ela casou com ele na época em que os dois estavam na faculdade, e ele era um sujeito inteligente. Então é claro que eles pegam os inteligentes rapidinho'.".

"Quem pega?", eu perguntei.

"Ora, o nosso governo sujo e podre, é claro", minha mãe respondeu.

Eu não disse nada, apenas fiquei olhando para o teto. Na minha experiência ao longo da vida, tenho visto que as pessoas que mais receberam do nosso governo — educação, comida, subsídios de aluguel — são as mais aptas a ver defeitos em toda a ideia de governo. De certa forma eu entendo isso.

"Pra que eles pegaram o marido inteligente de Marilyn?", eu perguntei.

"Bom, eles fizeram ele virar oficial, é claro. Durante aqueles anos do Vietnã. E acho que ele teve que fazer alguma coisa horrível e, pelo que Evelyn estava me contando, ele nunca mais foi o mesmo. Logo no início do casamento deles acontecer isso... é muito triste. Muito, muito triste", minha mãe disse.

Esperei por um bom tempo, por um bom tempo eu esperei, deitada ali com o coração batendo forte, ainda hoje lembro das batidas, do meu coração martelando, e pensei no que eu tinha — comigo mesma — sempre chamado de *Coisa*, a parte mais tenebrosa da minha infância. Eu estava com muito medo deitada ali, com medo de que minha mãe fosse mencioná-la depois de todos aqueles anos, depois de jamais tê-la mencionado, e por fim eu disse: "Mas o que ele faz... como consequência dessa experiência? Ele é ruim para Marilyn?".

"Não sei", minha mãe disse. Sua voz de repente pareceu cansada. "Não sei o que é que ele faz. Hoje em dia deve existir alguma ajuda. Pelo menos há um nome. Eles não são as primeiras pessoas a terem trauma — ou seja lá que palavra for — por causa de uma guerra."

Na lembrança que tenho disso, fui eu que fiz com que desviássemos o mais rápido que podíamos, o mais rápido possível, do caminho para o qual minha mãe talvez soubesse — ou não — que estava indo.

"Odeio imaginar alguém sendo ruim com Marilyn", eu disse, e depois acrescentei que o médico ainda não tinha ido me ver.

"É sábado", minha mãe disse.

"Mesmo assim ele vem. Ele sempre vem."

"Ele não vai trabalhar num sábado", minha mãe disse. "Ontem ele te disse pra ter um bom fim de semana. Pra mim não me soa como se ele trabalhasse num sábado."

Então fiquei com medo. Com medo de que ela tivesse razão. "Ah, mamãe", eu disse, "estou tão cansada. Quero ficar boa."

"Você vai ficar boa", ela disse. "Eu vi isso com toda a clareza. Você vai ficar boa e você vai ter alguns problemas na vida. Mas o que importa é que você vai ficar boa."

"Tem certeza?"

"Tenho certeza."

"Que problemas?" Perguntei isso de um modo que parecesse brincalhão, como se eu quisesse dizer: e daí se eu tiver alguns probleminhas?

"Problemas." Minha mãe ficou em silêncio por um tempo. "Como a maioria das pessoas tem, ou algumas pessoas. Problemas no casamento. Suas filhas vão ficar bem."

"Como você sabe?"

"Como eu sei? Não sei como eu sei. Eu nunca soube como eu sei."

"Eu sei", eu disse.

"Você trate é de descansar, Lucy."

Ainda estávamos no início de junho, e os dias eram muito compridos. Só quando as luzes estavam começando a aparecer no crepúsculo pela janela que nos dava a magnífica vista da cidade que ouvi a voz na minha porta. "Garotas", ele disse.

Já fazia alguns anos que estávamos morando no West Village quando fui à minha primeira Parada do Orgulho Gay, e morar no Village transformou a parada num grande acontecimento. Era natural. Tinha havido a história de Stonewall e depois a coisa horrível da aids, e muitas pessoas foram para as ruas oferecer apoio e também homenagear os que tinham morrido. Dei a mão para Chrissie, e William carregou Becka apoiando-a no quadril. Ficamos ali assistindo homens passarem de salto alto roxo e peruca, alguns de vestido, depois mães desfilaram, e também todo tipo de coisa que se vê num evento como esse em Nova York.

William se virou para mim e disse: "Lucy, meu Deus, vamos *embora*", por causa do que tinha visto em meu rosto, e eu assenti com a cabeça e me virei para voltar para casa; ele me acompanhou e disse: "Ah, Button. Acabei de me lembrar".

Ele era a única pessoa para quem eu tinha contado.

Acho que meu irmão estava no primeiro ano do ensino mé-

94

dio. Talvez ele fosse um ano mais velho ou um ano mais novo. Mas ainda morávamos na garagem, então eu devia ter uns dez anos. Como minha mãe fazia serviços de costura, ela tinha vários sapatos de salto alto em sua cesta num canto da garagem. Essa cesta era como o armário de uma mulher. Nela também havia sutiãs, espartilhos e uma cinta-liga. Acho que eram para as mulheres que precisavam que algum ajuste fosse feito e que não tinham levado as peças íntimas certas; mesmo quando era normal todas as mulheres vestirem essas coisas, minha mãe não se dava ao trabalho de usá-las, a menos que fosse receber um cliente.

Vicky chegou berrando ao pátio da escola para me procurar naquele dia, não sei se era um dia letivo nem por que ela não estava comigo, só me lembro dos seus gritos, do ajuntamento de pessoas e das risadas. Meu pai dirigia a nossa caminhonete ao longo da rua principal da cidade gritando com meu irmão, que caminhava na rua com um sapato de salto alto enorme que eu reconheci da cesta, um sutiã por cima da camiseta e um colar de pérolas falsas, e o rosto dele estava banhado em lágrimas. Meu pai ia com a caminhonete ao lado dele, gritando que ele era um maldito bicha e que o mundo devia saber. Eu não acreditava no que estava vendo, peguei a mão de Vicky, embora fosse eu a mais nova, e fui andando com ela para casa. Minha mãe estava lá e contou que nosso irmão tinha sido encontrado com as roupas dela, que aquilo era nojento, que meu pai estava dando uma lição nele e que Vicky devia parar com aquele barulho, então levei Vicky para os campos até escurecer e nós duas ficarmos com mais medo do escuro que da nossa casa. Ainda não tenho bem certeza se é uma lembrança verdadeira, exceto por eu saber que é, acho. Quero dizer: é verdadeira. É só perguntar para qualquer um que nos conhecia.

No dia da parada no Village, acho — mas não tenho certeza — que William e eu brigamos. Porque eu me lembro dele dizendo: "Button, você simplesmente não entende, não é?". Ele queria dizer que eu não conseguia entender que podia ser amada, que era amável. Muitas vezes ele me disse isso quando brigávamos. Ele foi o único homem que me chamou de "Button". Mas não foi o último que me disse: Você simplesmente não entende, não é?

No dia em que Sarah Payne nos disse para irmos para uma página sem julgamentos, ela nos lembrou de que nós nunca sabíamos, e jamais saberíamos, como é entender plenamente outra pessoa. Parece uma ideia simples, mas à medida que envelheço vejo mais e mais que ela precisava nos dizer isso. Nós pensamos, sempre estamos pensando: O que é que há em alguém que nos faz desprezar essa pessoa, que nos faz sentir superior a ela? Naquela noite — lembro dessa parte mais do que essa que acabei de descrever — meu pai deitou ao lado do meu irmão no escuro e o segurou como se ele fosse um bebê, ninou meu irmão em seu colo, e eu não soube dizer o que eram lágrimas e murmúrios de um e de outro.

"Elvis", minha mãe disse. Era noite, o quarto estava escuro, só as luzes da cidade entrando pela janela.

"Elvis Presley?"

"Por acaso você conhece outro Elvis?", minha mãe perguntou.

"Não. Você disse 'Elvis'." Esperei. Eu disse: "Por que você falou 'Elvis', mãe?"

"Ele era famoso."

"Ele era. Tão famoso que morreu disso."

"Ele morreu de drogas, Lucy."

"Mas foi a coisa da solidão, mãe. Por ele ser tão famoso. Pense nisto: ele não podia ir a lugar nenhum."

Por um longo tempo minha mãe não disse nada. Tive a impressão de que ela estava realmente pensando naquilo. Ela disse: "Eu gostava do que ele fazia no começo. Seu pai achava que ele era o próprio Diabo, todas aquelas bobagens que ele usou no fim, mas se você apenas ouvisse a voz dele, Lucy...".

"Mãe. Eu ouvi a voz dele. Não sabia que você conhecia alguma coisa de Elvis. Mãe, quando foi que você ouviu Elvis?"

De novo houve um longo silêncio, até que minha mãe disse: "É... ele era só um garoto de Tupelo. Um garoto pobre de Tupelo, no Mississippi, que amava sua mamãe. Ele atrai gente vulgar. São essas as pessoas que gostam dele, as vulgares". Ela esperou um pouco e então disse, sua voz se tornando pela primeira vez, de fato, a voz da minha infância: "Seu pai tinha razão. Ele não passa de um grande e velho monte de lixo".

Lixo.

"Ele é um monte de lixo morto", eu disse.

"Bom, claro. Drogas."

Eu acabei dizendo: "A gente é que era lixo. A gente era exatamente isso".

Na voz da minha infância, minha mãe disse: "Maldita Lucy Barton. Eu não atravessei o país de avião para ouvir você me dizer que somos lixo. Meus antepassados e os antepassados do seu pai, nós fomos umas das primeiras pessoas deste país, Lucy Barton. Eu não atravessei o país de avião para ouvir você me dizer que somos lixo. Eles eram pessoas boas e decentes. Eles desembarcaram em Provincetown, em Massachusetts, eram pescadores e colonizadores. Nós colonizamos este país, e os bons e corajosos mais tarde se mudaram para o Centro-Oeste, e é isso que nós somos, é isso que você é. Jamais se esqueça disso".

Demorei alguns instantes até dizer: "Não vou me esquecer". Depois falei: "Não, me desculpe, mãe. Me desculpe mesmo".

Ela ficou em silêncio. Achei que eu sentia sua fúria e meio que senti também que o fato de ela ter dito isso iria me manter mais tempo no hospital; quero dizer, senti no meu corpo. Eu queria dizer: *Vá para casa.* Vá para casa e diga pras pessoas que nós não somos lixo, conte pras pessoas como foi que seus antepassados chegaram aqui e assassinaram todos os índios, mãe! Vá para casa e conte para todo mundo.

Talvez eu não quisesse dizer isso para ela. Talvez seja só o que eu penso agora enquanto escrevo isto.

Um garoto pobre de Tupelo que amava sua mamãe. Uma garota pobre de Amgash que também amava sua mamãe.

Usei a palavra "lixo" como minha mãe fez naquele dia no hospital ao falar de Elvis Presley. Usei a palavra com uma boa amiga que fiz não muito tempo depois de ter saído do hospital — a melhor amiga mulher que tive na vida. Ela me contou, depois que eu a conheci, depois que minha mãe tinha ido me ver no hospital, que ela e sua mãe brigavam e batiam uma na outra, e eu disse: "Nossa, que lixo".

E ela, a minha amiga, disse: "Bom, nós éramos lixo".

Na minha lembrança seu tom foi defensivo e irritado; e por que não teria sido? Eu nunca disse a ela como me sentia, que fora tão errado eu ter dito aquilo. Minha amiga é mais velha que eu, sabe mais do que eu e talvez saiba — ela também foi criada como congregada — que não vamos falar sobre isso. Talvez tenha esquecido. Não acho que ela esqueceu.

Isto também:

Logo depois que eu soube que tinha sido admitida na faculdade, mostrei ao meu professor de inglês do ensino médio uma história que eu havia escrito. Lembro pouco disso, mas lembro do seguinte: de ele ter circulado a palavra "barato". A frase era alguma coisa do tipo: "A mulher usava um vestido barato". Não use esta palavra, ele disse, não é legal e não é precisa. Não sei se ele disse exatamente isso, mas havia circulado a palavra e me dito com delicadeza alguma coisa sobre aquilo não ser legal ou bom, e nunca mais me esqueci disso.

"Me diga, Wizzle", minha mãe falou.

Era de manhã cedo. Biscoito tinha ido medir minha temperatura e perguntou se eu queria um pouco de suco. Eu disse que tentaria tomar o suco, e ela saiu. Apesar da minha raiva, eu tinha dormido. Mas minha mãe parecia muito cansada. Ela não aparentava mais estar brava, apenas cansada, e mais como a pessoa que vinha sendo desde que chegou para me ver no hospital.

"Você lembra que eu falei da Mary do Mississippi?"

"Não. Sim. Espera. A Mary Mumford, com todas aquelas garotas Mumford?"

"Ah, é, tem razão! Ela casou com aquele Mumford. Isso, todas aquelas garotas. Evelyn da Confeitaria Chatwin costumava falar dela, elas tinham algum parentesco. O marido de Evelyn era primo, não lembro. Evelyn a chamava de 'Mary do Mississippi'. Pobre como um rato de igreja. Fiquei pensando nela depois que falamos de Elvis. Ela era de Tupelo também. Mas o pai levou a família para Illinois — Carlisle — e ela cresceu lá. Não sei por que eles se mudaram para Illinois, mas o pai dela trabalhava no posto de gasolina de lá. Ela não tem nem sombra de sotaque sulista. Pobre Mary. Mas era uma gracinha, era líder de torcida e casou com o capitão do time de futebol americano, o garoto Mumford, e *ele* tinha dinheiro." A voz da minha mãe estava acelerada de novo, comprimida. "Mãe..." Ela abanou a mão para mim. "Escuta, Wizzle, se você quer uma boa história. Escuta. Escreva esta aqui. Então, Evelyn me contou quando eu estive lá falando sobre..." "Marilyn Alguma Coisa." Dissemos isso juntas, e minha mãe fez uma pausa para sorrir; ah, eu amava a minha mãe! "Escuta. Então, Mary do Mississippi casou com esse sujeito rico e teve, ah, eu não sei, cinco ou seis meninas, acho que todas eram meninas, ela era uma pessoa agradável, eles moravam num lugar grande onde o marido dirigia o seu negócio, não sei que tipo de negócio. O marido fazia viagens de negócios, e no fim descobriram que ele estava tendo um caso com a secretária fazia treze anos, e a secretária era uma mulher gorda, uma mulher muito, muito *gorda*, Mary acabou descobrindo e teve um ataque cardíaco."

"Ela morreu?"

"Não. Acho que ela não morreu." Minha mãe se recostou na cadeira, parecendo exausta.

"Mãe. Que coisa triste."

"Claro que é triste!"

Ficamos em silêncio por algum tempo. Então minha mãe disse: "Só lembrei dela porque ela — bem, isso tudo de acordo com a prima dela, Evelyn, da Chatwin —, ela amava Elvis, tendo nascido no mesmo depósito de lixo de onde ele saiu".

"Mãe."

"O que, Lucy?" Ela se virou e me lançou um olhar rápido.

Eu disse: "Estou feliz por você estar aqui".

Minha mãe assentiu com a cabeça e olhou para fora da janela de novo. "Pensei em como deve ser estranho. Tanto Elvis quanto Mary do Mississippi deixaram de ser muito pobres para ser muito ricos — e parece que isso não fez nenhum maldito bem a nenhum dos dois."

"Não fez, claro que não", eu disse.

Já fui a lugares nesta cidade aonde os muito ricos vão. Um deles é o consultório de uma médica. Mulheres e uns poucos homens sentam na sala de espera da médica que fará com que eles não pareçam velhos, ou preocupados, ou como suas mães. Alguns anos atrás eu fui lá para não ficar parecida com a minha mãe. A médica disse que quase todo mundo ia, na primeira vez, dizendo que se parecia com a mãe e que não queria isso. Eu via também o meu pai em meu rosto, e ela, a médica, disse que sim, que podia me ajudar nisso também. Geralmente era com a mãe — ou com o pai — que as pessoas não queriam se parecer, muitas vezes com nenhum dos dois, ela disse, mas na maioria das vezes era com a mãe. Ela pôs agulhas minúsculas nas rugas perto da minha boca. Você está linda agora, disse. Parece você mesma. Volte daqui a três dias para eu ver.

Três dias depois, havia uma mulher muito velha na sala de espera, e ela tinha uma cinta em suas costas, vergadas quase até a metade do corpo. Ela sorria num rosto que tinha sido feito para parecer anos mais jovem. Achei-a corajosa. Ao meu lado estava

105

sentado um garoto, talvez no ensino fundamental, e sua irmã mais velha. Deviam estar esperando a mãe — não sei quem eles estavam esperando. Mas eram ricos. Você teria essa impressão deles mesmo que não estivesse no consultório dessa médica. Observei o garoto e a irmã. Eles falavam em telefonar para Pips, e a garota disse: "Só posso ligar para números nacionais, não posso fazer uma ligação internacional deste telefone". O garoto reagiu bem; ele sugeriu mandar um e-mail para Pips e pedir que Pips ligasse para eles. Depois notei que o garoto observava a senhora bem velhinha, ele a olhou com interesse, e também porque por estar tão curvada ela era para ele, claro, de uma espécie diferente. Era muito, muito velha que ela parecia para o garoto, eu vi isso; senti que percebia isso. Eu adorei o garoto e a sua irmã. Eles pareciam saudáveis, lindos e bons. A senhora bem velhinha ergueu-se para sair lentamente. Ela tinha uma fita rosa-brilhante amarrada na bengala.

O garoto levantou-se de repente e abriu a porta para ela.

Que cidade, esta. Mas eu já disse isso.

Naquela noite no hospital, a última em que a minha mãe ficou comigo — ela já estava ali fazia cinco dias —, eu pensei no meu irmão. Lembrei, então, como eu tinha topado com um grupo de garotos no campo ao lado da escola, eu devia ter uns seis anos, e vi que havia uma briga ali, que um menino estava apanhando de um grupo de garotos. O menino que apanhava era o meu irmão. O rosto dele parecia como se estivesse paralisado de medo, e não dava mesmo a impressão de que ele se mexia, estava agachado enquanto os garotos batiam nele. Vi isso só por um instante, porque me virei e fugi. Lembrei também — naquela noite no hospital — em como meu irmão não precisou ir para a guerra do Vietnã porque seu número não foi sorteado. Antes de saber disso, lembro de ouvir meus pais conversando uma noite e do meu pai dizer: "O Exército vai matá-lo, não podemos deixar isso acontecer, o Exército vai ser terrível para ele". E foi logo depois disso que ficamos sabendo que o meu irmão teve sorte e não foi convocado. Mas meu pai o amava! Vi isso naquela noite. Depois me lembrei disto: houve um feriado do Dia do Trabalho em que meu pai me levou, sozinha — não sei por que eu estava sozinha com ele; quero dizer, não sei onde meu irmão e minha irmã estavam —, para Moline, a cerca de sessenta quilômetros de distância. Talvez ele tivesse negócios a tratar lá, embora seja difícil imaginar que tipo de negócio ele teria em algum lugar, quanto mais em Moline, mas lembro de estar lá com ele para o Festival Black Hawk, e assistimos à dança dos índios. As índias formavam um círculo em torno dos homens e só davam pequenos passos, enquanto os homens dançavam com grande comoção. Meu pai parecia profundamente interessado nas danças e nas festividades. Havia maçãs caramelizadas à venda e eu estava louca por uma. Eu nunca tinha comido uma maçã caramelizada. Meu pai comprou uma para mim. Foi espantoso ele ter feito isso. Lembro que não consegui comer a maçã, não conseguia fincar meus pequenos dentes na crosta vermelha; fiquei arrasada, e ele pegou a maçã de mim e a comeu de cenho franzido, e achei que eu tinha lhe causado alguma preocupação. Não lembro de assistir aos dançarinos depois disso, lembro de observar apenas o rosto do meu pai, tão alto acima de mim, vi seus lábios ficarem vermelhos por causa da maçã caramelizada que ele comeu porque precisava. Na minha lembrança eu o amo por isso, já que ele não gritou comigo nem fez eu me sentir mal por não conseguir comer a maçã, mas a pegou de mim e comeu ele próprio, mesmo sem prazer.

E lembro disto: que ele estava interessado no que estava assistindo. Ele tinha um *interesse* naquilo. O que será que ele achava daqueles índios que estavam dançando?

Eu disse de repente, enquanto as luzes começavam a se acender em toda a cidade: "Mamãe, você me ama?".

Minha mãe balançou a cabeça, olhou para as luzes. "Wizzle, pare com isso."

"Vamos, mamãe, me diga." Comecei a rir e ela começou a rir também.

"Wizzle, pelo amor de Deus."

Sentei feito uma criança, batendo palmas. "Mãe! Você me ama, me ama, me ama?"

Ela abanou a mão para mim, ainda olhando para a janela.

"Garota boba", ela disse, balançando a cabeça. "Sua garota boba, boba."

Deitei de novo e fechei os olhos. "Mãe, estou de olhos fechados."

"Lucy, pare agora com isso." Ouvi riso em sua voz.

"Vamos, mãe. Estou de olhos fechados."

Houve silêncio por algum tempo. Eu estava feliz. "Mãe?", falei.

"Quando os seus olhos estão fechados", ela disse.

"Você me ama quando os meus olhos estão fechados?"

"Quando os seus olhos estão fechados", ela disse. E nós paramos com a brincadeira, mas eu estava tão feliz...

Sarah Payne disse: Se há um ponto fraco na sua história, encare, crave seus dentes nele, enfrente-o antes que o leitor saiba. É ali que você vai impor sua autoridade, ela disse durante uma daquelas aulas em que seu rosto ficava inundado pela fadiga de ensinar. Sinto que as pessoas podem não entender que minha mãe jamais conseguiria dizer as palavras "eu te amo". Sinto que as pessoas podem não entender: estava tudo bem.

Foi no dia seguinte no hospital — uma segunda-feira — que Biscoito disse que eu precisava só de mais um raio X; coisa simples, ela disse, logo viriam me buscar. Depois de uma hora eu já tinha voltado para o quarto. Minha mãe acenou para mim e eu acenei para ela assim que me instalei na cama. "Moleza", eu falei. E ela disse: "Você é uma garota corajosa, Wizzlezinha". Ela olhou para fora da janela e eu olhei para fora da janela também. A gente deve ter conversado mais, tenho certeza que sim. Mas então meu médico entrou apressado e disse: "Acho que vamos precisar operar você. Você pode estar com uma obstrução, não gosto nada do que estou vendo".

"Eu não *posso*", falei, sentando. "Eu vou morrer se for operada. Olha como eu fiquei magra!"

Meu médico disse: "Você está doente, mas é saudável e você é jovem".

Minha mãe se levantou. "Está na hora de eu ir para casa", ela disse.

"Mamãe, não, você não pode ir!", gritei.

"Eu vou. Já fiquei aqui bastante tempo, está na hora de eu ir para casa."

Meu médico não teve resposta para o comentário da minha mãe. Lembro apenas da determinação dele em me levar para o próximo exame, para ver se eu ia precisar de cirurgia. Embora eu ainda fosse ficar quase mais cinco semanas no hospital, ele jamais me perguntou sobre a minha mãe, se eu sentia falta dela, nunca comentou que devia ter sido bom para mim tê-la ali, não disse uma palavra sobre ela. Portanto jamais falei para esse médico bondoso o quanto senti a falta dela, que sua vinda tinha sido... Bom, eu não saberia dizer o que tinha sido. Não falei absolutamente nada a respeito.

E minha mãe foi embora naquele dia. Ela estava assustada, sem saber como iria encontrar um táxi. Pedi que uma das enfermeiras a ajudasse, mas sabia que quando ela chegasse à Primeira Avenida nenhuma enfermeira seria capaz de ajudá-la. Dois auxiliares já tinham trazido a maca para o meu quarto e a grade da cama foi retirada. Expliquei à minha mãe como ela deveria erguer o braço, como deveria falar "La Guardia", como se estivesse acostumada a dizer isso. Mas eu via que ela estava apavorada, e eu também estava apavorada. Não faço ideia se ela me deu um beijo de despedida, mas não consigo pensar que ela teria dado. Não tenho nenhuma lembrança de minha mãe algum dia ter me beijado. Mas talvez ela tenha me dado um beijo; posso estar enganada.

Eu já disse que, na época sobre a qual estou escrevendo, a aids era uma coisa terrível. Ainda é uma coisa terrível, mas agora as pessoas já estão acostumadas com ela. Estar acostumado com ela não é bom. Mas quando eu estava no hospital a doença era nova e ninguém ainda entendia como mantê-la em suspenso, portanto havia, na porta do quarto de hospital em que uma pessoa estivesse internada com a doença, um adesivo amarelo, ainda me lembro deles. Adesivos amarelos com linhas pretas. Mais tarde, quando fui à Alemanha com William, pensei nos adesivos amarelos do hospital. Eles não diziam ACHTUNG! Mas eram como isso. E me lembrei das estrelas amarelas que os nazistas obrigavam os judeus a usar.

Minha mãe foi embora tão rápido e eu fui levada numa maca tão rápido, que quando de repente fui tirada do grande elevador e deixada na maca junto de uma parede no corredor de outro andar, me surpreendi de ter ficado lá por tanto tempo. Mas o que aconteceu foi o seguinte: fui deixada num lugar do corredor de onde podia ver um quarto com aquele terrível adesivo amarelo na porta entreaberta, e vi um homem de olhos escuros e cabelo escuro na cama, e ele estava, me pareceu, olhando fixo para mim. Achei horrível o fato de que ele estivesse morrendo e eu sabia que morrer daquele jeito era uma morte horrível. Eu estava com medo de morrer, mas não tinha a doença dele, e ele devia saber disso — eles não iam deixar um paciente no corredor, como haviam me deixado, se eu tivesse aquela doença. Senti no olhar desse homem que ele me implorava alguma coisa. Tentei desviar os olhos, para lhe dar privacidade, mas cada vez que eu olhava de relance em sua direção via que ele continuava me encarando. Há momentos em que ainda penso nos olhos escuros no rosto do homem deitado naquela cama, me olhando com o que na minha lembrança penso ser desespero, implorando. Desde então já estive — é natural à medida que envelhecemos — com pessoas que estão morrendo, e reconheci os olhos que ardem, a derradeira luz do corpo indo embora. De certa forma aquele homem me ajudou naquele dia. Seus olhos diziam: eu não vou desviar o olhar. E eu estava com medo dele, da morte, da minha mãe ter me deixado. Mas ele jamais desviou o olhar.

Não precisei de outra cirurgia. De novo meu médico se desculpou por ter me assustado, mas eu apenas assenti com a cabeça, para que ele soubesse que eu sabia que ele me amava do seu jeito de médico e que ele só estava tentando me manter viva. Toda sexta-feira ele dizia o que minha mãe tinha ouvido ele dizer: "Tenha um bom fim de semana, então, se puder". E todo sábado e todo domingo ele aparecia dizendo que tinha precisado ver outro paciente e estava dando uma passada, portanto, para me ver também. Ele só não foi no Dia dos Pais. Fiquei com tanto ciúme dos filhos dele! Dia dos Pais! Nunca conheci seus filhos, claro. Ouvi dizer que seu filho se tornou médico, e mais tarde — anos depois, quando fui vê-lo no consultório e no meio da conversa falei da minha preocupação com o fato de uma das minhas meninas ter poucos amigos — ele me deu um bom conselho, citando uma de suas próprias filhas, dizendo que agora ela tinha mais amigos que seus outros filhos, e no final das contas isso também aconteceu com a filha com a qual eu tinha me preocupado. Quando tive problemas no casamento — mencionei isso de passagem para ele —, esse médico bondoso temeu por mim. Lembro de ter percebido mesmo isso e de ele não ter nenhum conselho para me dar. Mas naquelas nove semanas de primavera e verão já há tanto tempo — durante nove semanas menos um dia, o Dia dos Pais —, esse homem, esse adorável médico e pai, foi me ver todos os dias, às vezes duas vezes por dia. Quando saí e a conta chegou, ele me cobrou por cinco visitas médicas. Quero deixar isso registrado também.

Eu fiquei preocupada com a minha mãe. Ela não tinha ligado para dizer que havia conseguido chegar em casa, e no telefone junto da minha cama eu só podia fazer ligações locais. Ou então a cobrar, o que significava que quem atendesse na casa da minha infância ouviria a pergunta sobre se aceitaria a cobrança; funcionava assim. A telefonista diria: "Você aceita a chamada a cobrar de Lucy Barton?". Só uma vez liguei para eles dessa forma, foi quando estava grávida da minha segunda filha e tive algum tipo de desentendimento com William, não lembro sobre o quê. Mas eu estava com saudade da minha mãe, com saudade do meu pai, de repente senti saudade da árvore austera do milharal da minha juventude, estava sentindo uma saudade tão profunda e enorme disso tudo que fui empurrando o carrinho com a pequena Chrissie dentro até uma cabine telefônica perto do parque Washington Square e liguei para os meus pais. Minha mãe atendeu, e a telefonista disse que Lucy Barton estava na linha, ligando de Nova York, minha mãe aceitaria a chamada a cobrar? E minha mãe respondeu: "Não. Diga a essa garota que agora ela tem dinheiro pra gastar, ela que gaste por conta própria". Desliguei antes que a telefonista tivesse que repetir isso para mim. Portanto, naquela noite no hospital não telefonei para os meus pais para saber se a minha mãe tinha chegado em casa. Mas William ligou para eles do nosso apartamento no Village, pois pedi que fizesse isso. E ele disse que sim, que ela tinha chegado em segurança em casa. "Ela disse mais alguma coisa?", perguntei. Eu sentia uma tristeza enorme. Estava triste mesmo, como uma criança triste, e as crianças podem ficar muito tristes.

"Ah, Button", meu marido disse. "Button. Não."

Na semana seguinte, minha amiga Molla foi me visitar. Ela disse, sentando bem perto da cabeceira da cama, pareceu bem perto: "Que bom que você pôde ficar com a sua mãe", e eu disse "é mesmo", e ela me falou que odiava demais a sua mãe e me contou a história toda como se já não tivesse me contado, o quanto ela odiava a mãe e sobre quando teve seus bebês precisou ir a um psiquiatra por causa de tudo o que a mãe não tinha lhe dado. Molla me falou tudo isso naquele dia, e, me lembrando agora disso, me ocorreu uma coisa que Sarah Payne disse no curso de escrita no Arizona. "Vocês só vão ter uma história", ela disse. "Vocês vão escrever essa única história de muitas maneiras. Nunca se preocupem com a história. Vocês só têm uma."

Sorri para Molla enquanto ela falava, eu estava muito feliz em vê-la. Perguntei-lhe afinal sobre minhas próprias filhas, elas pareciam angustiadas demais por eu não estar por perto? Ela disse que achava que Chrissie conseguia entender mais, ela era a mais velha, então seria o natural; Chrissie tinha tido uma longa conversa com Molla na escada, e Molla tinha ouvido Chrissie lhe contar que a sua mamãe estava doente, mas melhorando. "Você falou pra ela que eu estou melhorando, né?", perguntei, tentando sentar. Molla disse que tinha dito. Amei Molla por isso, por sua preocupação com a minha querida Chrissie. Perguntei sobre Jeremy, como ele estava? Ela disse que não o tinha visto, que ele devia estar fora. Falei que meu marido também tinha me dito isso.

Molla então contou sobre algumas mães que ela conhecia do parque, uma estava se mudando para o subúrbio, outra para Uptown, norte da cidade. Quando ela foi embora, eu estava exausta. Mas tinha ficado feliz em vê-la. Agradeci por ela ter ido. Ela disse: claro, curvou-se e beijou minha cabeça.

Meu marido foi me visitar. Deve ter sido num dia de semana, só posso pensar que foi assim. Ele parecia bem cansado e não falou muito. Era um homem grande, mas deitou ao meu lado na minha cama estreita e correu a mão por seu cabelo loiro. Ligou a televisão, que ficava suspensa acima da cama. Ele estava pagando para eu ter uma lá, mas como eu nunca tinha tido televisão na casa dos meus pais, acho que eu não entendia direito a televisão. No hospital eu quase não a ligava, pois associava televisão de dia com pessoas doentes. Sempre que me diziam para eu andar pelo corredor para me exercitar, empurrando meu suporte com os frascos de soro, eu via que a maioria dos pacientes estava simplesmente de olhos fixos em sua televisão, o que me entristecia muito. Mas meu marido a ligou e deitou ao meu lado na cama. Eu queria conversar, mas ele estava cansado. Ficamos deitados assim em silêncio.

Meu médico pareceu surpreso ao vê-lo. Talvez ele não tenha ficado nem um pouco surpreso, mas achei que ele pareceu assim. Ele disse alguma coisa sobre como era bom podermos ficar juntos daquele jeito, e lembro de ter sentido um aperto no coração, não sei por quê. Ninguém sabe por que na hora; só mais tarde. Sei que meu marido foi me ver mais de uma vez. Mas me lembro desse dia, por isso o registro. Esta não é a história do meu casamento. Não posso contar essa história: não posso apreendê-la ou expô-la para qualquer um, os muitos pântanos, gramados e bolsões de ar fresco e ar frio que sobrevieram a nós. Mas posso dizer isto: minha mãe estava certa, eu tive problemas no casamento. Quando minhas meninas tinham dezenove e vinte anos, eu deixei o pai delas, e depois nós dois nos casamos de novo. Há dias em que sinto que o amo mais do que quando estava casada com ele, mas isso é uma coisa fácil de pensar — estamos livres um do outro, no entanto não estamos, e jamais estaremos. Há dias em que me vem uma imagem muito clara dele sentado à mesa de seu escritório enquanto as meninas brincavam no quarto, e eu quase grito: *Éramos uma família!* Penso nos celulares de agora, na rapidez com que fazemos contato. Quando as meninas eram pequenas, lembro de ter dito a William: eu queria que existisse alguma coisa que a gente pudesse pôr no pulso, como um telefone, assim a gente ia poder falar um com o outro e saber onde o outro está o tempo todo.

Mas naquele dia em que ele foi me ver no hospital e em que mal conversamos, pode ter sido o dia em que ele descobriu que seu pai havia lhe deixado uma quantia considerável de dinheiro num banco da Suíça. Seu avô tinha lucrado com a guerra e havia depositado uma quantia considerável de dinheiro numa conta na Suíça, e agora que William tinha feito trinta e cinco anos, o dinheiro de repente era dele. Fiquei sabendo disso mais tarde, quando voltei para casa. Mas isso deve ter feito William se sentir estranho, pensar no que o dinheiro era e no que significava, e ele nunca foi uma pessoa que conseguia falar com facilidade dos seus sentimentos, então ele deitou na cama comigo, eu que tinha — como ao longo dos anos sempre brincamos, ou talvez só eu tenha brincado —, eu que tinha "vindo do nada". Quando eu conheci a minha sogra, ela foi uma grande surpresa para mim. Sua casa parecia enorme e bem mobiliada, mas ao longo dos anos passei a ver que não era tanto assim, que era só uma casa bacana, uma casa bacana de classe média. Como ela tinha sido mulher de fazendeiro no Maine e eu pensava que no Maine as fazendas eram menores que as do Centro-Oeste que eu conhecia, eu imaginei que ela fosse uma dessas mulheres de peões, mas ela não era assim, era uma mulher bonita que aparentava a idade que tinha — cinquenta e cinco anos — e que se movimentava por sua adorável casa com naturalidade, uma mulher que tinha sido casada com um engenheiro civil. Na primeira vez que a encontrei, ela disse: "Lucy, vamos dar uma saída pra comprar algumas roupas pra você". Eu não me ofendi, fiquei apenas surpresa — ninguém nunca tinha me dito uma coisa dessas na vida. E eu fui fazer compras com ela, e ela me comprou algumas roupas.

Na nossa pequena festa de casamento ela disse a uma amiga: "Esta é Lucy". E acrescentou num tom quase brincalhão: "Lucy veio do nada". Eu não me ofendi e, verdade, não me ofendo nem agora. Só penso: ninguém no mundo vem do nada.

E ainda houve isto: depois que saí do hospital eu tinha sonhos recorrentes de que eu e meus bebês íamos ser mortos pelos nazistas. Ainda hoje, tantos anos depois, lembro desses sonhos. Eu estava com as minhas duas meninas pequenas no que parecia ser um vestiário; elas eram muito pequenas. No sonho eu sabia — todos sabiam, pois havia outras pessoas nesse vestiário — que seríamos levados e mortos pelos nazistas. No começo achamos que aquele lugar era uma câmara de gás, mas depois entendemos que os nazistas iam nos levar para outro lugar, e esse, sim, seria a câmara de gás. Cantei para os meus bebês, segurei-as, e elas não estavam com medo. Mantive-as num canto, longe das outras pessoas. A situação era a seguinte: eu aceitava a minha morte, mas não queria que minhas filhas tivessem medo. Eu temia terrivelmente que elas fossem tiradas de mim, talvez fossem adotadas pelos alemães, porque elas se pareciam com as crianças arianas que eram. Eu não suportava pensar nelas sendo maltratadas, e no sonho pairava a sensação — o entendimento — de que elas seriam maltratadas. Era um sonho aterrorizador. Nunca passou disso. Não sei por quanto tempo eu tive esse sonho. Mas sonhei isso com alguma frequência quando morava em Nova York e enquanto minhas filhas cresciam saudáveis. Nunca contei ao meu marido esse sonho.

Escrevi uma carta para a minha mãe. Disse que a amava e agradeci por ela ter ido me ver no hospital. Disse que jamais esqueceria do que ela tinha feito. Ela me respondeu com um cartão com uma imagem do edifício Chrysler à noite. Onde ela comprou esse cartão em Amgash, Illinois, eu nem imagino, mas ela o mandou para mim e disse: jamais vou esquecer também. Assinou como M. Deixei o cartão perto do telefone, na mesa junto da cama, e olhava para ele com frequência. Eu o pegava e segurava, olhando para a letra dela, que não era mais familiar para mim. Ainda tenho o cartão que ela me mandou com o edifício Chrysler à noite.

Quando eu saí do hospital, meu sapato não servia mais em mim. Eu não tinha pensado que perder peso significava perder em todos os lugares do corpo, mas foi isso que aconteceu, claro, e o sapato ficou grande demais no meu pé. Pus o cartão no fundo da sacola de plástico que eles tinham me dado para eu guardar as minhas coisas. Meu marido e eu pegamos um táxi para casa, e lembro que fora do hospital o mundo parecia muito claro —

assustadoramente claro —, de fato me assustei com isso. Minhas filhas quiseram dormir comigo na minha primeira noite em casa, e William disse que não, mas elas deitaram na cama comigo, as minhas duas meninas. Meus Deus, como eu estava feliz em ver minhas filhas, elas tinham crescido tanto! Becka estava com um corte de cabelo horrível; um chiclete havia grudado no seu cabelo, e a amiga da família que não tinha filhos, que havia levado as duas para me ver no hospital, foi quem cortou o cabelo dela.

Jeremy. Eu não sabia que ele era gay. Não sabia que estava doente. Não, meu marido disse, ele nunca pareceu doente do modo como muitos parecem. E ele se fora — tinha morrido — enquanto eu estava longe de casa. Chorei um choro silencioso e constante. Fiquei sentada na escada da frente enquanto Becka acariciava minha cabeça. Chrissie às vezes sentava ao meu lado, pondo seus bracinhos em volta de mim, depois as duas iam dançar para cima e para baixo nos degraus. Molla passou e disse: "Ah, querida, você ficou sabendo de Jeremy". Ela disse que era muito ruim, uma coisa terrível de acontecer com homens. E com as mulheres, acrescentou. Ela sentou comigo enquanto eu chorava.

Pensei muito — *muito* — naquele homem no hospital com o adesivo amarelo na porta, no dia em que minha mãe foi embora e minha maca ficou no corredor do lado de fora do quarto dele. Como ele me olhava com o escuro dos seus olhos ardendo, implorando, desesperado. Sem deixar que eu desviasse os meus olhos. Poderia ter sido Jeremy. Muitas vezes pensei: vou procurar saber, deve estar nos registros públicos, em que dia ele morreu e onde ele estava. Mas jamais procurei.

* * *

Era verão quando voltei para casa, eu usava vestidos sem manga e não me dava conta de como estava magra. Via pessoas me olhando com medo quando eu ia comprar comida para as crianças. Ficava furiosa por me olharem com medo. As crianças no nosso ônibus escolar me olhavam da mesma forma, como se pensassem que eu poderia sentar ao lado delas.

Homens abatidos e esqueléticos continuavam passando pela rua.

Quando eu era criança, nossa família frequentava a igreja congregacional. Lá éramos excluídos tanto quanto em qualquer outro lugar; até o professor da escola dominical nos ignorava. Certa vez cheguei atrasada para a aula e todas as cadeiras já estavam ocupadas. O professor disse: "É só sentar no chão, Lucy". Nos dias de Ação de Graças, íamos para a sala de atividades da igreja e recebíamos um jantar de Ação de Graças. Nesse dia as pessoas nos tratavam melhor. Marilyn, que minha mãe havia mencionado no hospital, às vezes estava lá com a sua mãe e ela nos servia as vagens, o molho de carne e colocava os pãezinhos na mesa com suas pequenas barras de manteiga embaladas em plástico. Acho até que as pessoas se sentavam à mesa conosco, não lembro de termos sido desdenhados nessas refeições de Ação de Graças. Por muitos anos William e eu fomos a abrigos de Nova York no Dia de Ação de Graças e servimos a comida que havíamos levado. Eu nunca sentia como se estivesse retribuindo. Eu sentia que o peru ou o pernil que tínhamos levado parecia de repente pequeno demais nos abrigos para os quais íamos — mesmo que eles não fossem grandes. Em Nova York, não era para os congregados que dávamos comida. Com frequência eram pessoas de cor e algumas vezes pessoas com problemas mentais, e um ano William disse: "Não consigo mais fazer isso", eu respondi que tudo bem e também parei de ir.

Mas pessoas com frio! Isso eu não aguento! Li um artigo no jornal sobre um casal de idosos no Bronx que não podia pagar suas contas de aquecimento, então ficavam sentados na cozinha com o forno ligado. Todos os anos eu faço doações para que as pessoas não passem frio. William também doa. Mas registrar que eu doo dinheiro para que as pessoas fiquem aquecidas me deixa desconfortável. Minha mãe diria: "Pare com essa idiotice de ficar se gabando, Maldita Lucy Barton...".

O médico bondoso disse que poderia demorar bastante para eu recuperar o peso, e lembro que ele estava certo, embora não lembre quanto tempo foi esse bastante. Fui vê-lo para fazer checkups, primeiro de duas em duas semanas, depois uma vez por mês. Eu me esforçava para estar bonita; lembro de experimentar várias roupas e de me olhar no espelho para ver o que ele veria. Em seu consultório havia pessoas na sala de espera, pessoas nas salas de exames, em sua própria sala, uma espécie de esteira de transporte de muitos tipos de material humano. Pensei em quantos traseiros ele já teria visto, em como todos deviam ser diferentes. Sempre me senti segura com ele, sentia que ele estava atento ao meu peso e em cada detalhe da minha saúde. Um dia eu esperava para entrar na sua sala; usava um vestido azul e meia-calça preta e recostei contra a parede do lado do consultório. Ele conversava com uma mulher muito idosa; ela estava vestida com todo o capricho — tínhamos isso em comum, estar limpas e vestidas com capricho para o nosso médico. Ela disse: "Tenho flatulência. É tão constrangedor. O que eu posso fazer?".

Ele balançou a cabeça, solidário. "Essa é dureza", disse. Durante anos minhas meninas disseram "Essa é dureza" para alguma coisa que fosse complicado para elas — elas tinham me ouvido contar essa história muitas vezes. Não sei quando foi a última vez que vi esse médico. Nos anos seguintes à minha internação no hospital, estive com ele algumas vezes, e um dia, quando liguei para marcar uma consulta, disseram que ele tinha se aposentado e que eu poderia marcar com o seu sócio. Eu podia ter escrito uma carta para dizer o quanto ele tinha significado para mim, mas havia alguns problemas na minha vida e minha concentração não andava boa. Nunca escrevi. Nunca o vi de novo. Ele simplesmente se foi; esse homem tão, tão querido, esse meu amigo de alma no hospital tantos anos atrás, desapareceu. Esta também é uma história de Nova York.

Quando eu estava no curso de Sarah Payne, uma aluna de outro curso foi vê-la. Foi no fim da aula, as pessoas às vezes ficavam até depois para falar com a Sarah, e essa aluna de outro curso entrou e disse: "Eu realmente gosto do seu trabalho"; Sarah agradeceu e, sentando à mesa, começou a recolher suas coisas. "Gosto das coisas sobre New Hampshire", a aluna disse, e Sarah dirigiu um sorriso rápido para ela e assentiu com a cabeça. A aluna disse, indo em direção à porta, como se esperando acompanhar Sarah para fora da sala: "Conheci uma pessoa de New Hampshire uma vez".

Sarah, aos meus olhos, parecia perplexa. "É mesmo?", ela disse.

"Sim, Janie Templeton. Você por acaso não conheceu Janie Templeton, conheceu?"

"Não conheci."

"O pai dela era piloto. De uma companhia aérea. Pan Am, ou alguma coisa assim, faz tempo", essa aluna, que não era nova, disse. "Ele teve um colapso nervoso, o pai de Janie. Ele ficou andando em volta da casa e se masturbando. Alguém me contou depois, que Janie viu isso — acho que ela estava no ensino médio, não sei, mas o pai dela simplesmente saiu e começou a andar em volta da casa, se masturbando sem parar."

Fiquei gelada no calor do Arizona. Sentia arrepios pelo corpo todo.

Sarah Payne se levantou. "Espero que ele não tenha pilotado muitos aviões. Está certo, então." E ela me viu e acenou para mim. "Até amanhã", ela disse.

Eu nunca tinha ouvido falar, e depois disso nunca mais ouvi, desta *Coisa* — como eu a chamava comigo mesma — acontecendo como tinha acontecido na nossa casa.

Acho que foi no dia seguinte que Sarah Payne nos falou sobre irmos para uma página com o coração tão aberto quanto o coração de Deus.

Mais tarde, depois que o meu primeiro livro foi publicado, fui a uma terapeuta que é a mulher mais afável que já conheci. Escrevi numa folha de papel o que a aluna disse sobre a mulher de New Hampshire chamada Janie Templeton. Escrevi coisas que tinham acontecido na casa da minha infância. Escrevi coisas que tinha descoberto no meu casamento. Escrevi coisas que eu não conseguia dizer. Ela leu tudo e disse: "Obrigada, Lucy. Vai ficar tudo bem".

Vi minha mãe apenas uma vez depois que ela foi me ver no hospital. Foi quase nove anos depois. Por que não fui lá visitá-la? Visitar meu pai, meu irmão e minha irmã? Ver as sobrinhas e os sobrinhos que eu nunca tinha visto? Acho — para simplificar — que foi mais fácil não ir. Meu marido não iria comigo, e não o culpo. E — sei o quão defensiva é essa frase — meus pais, minha irmã e meu irmão nunca me escreveram ou me telefonaram, e quando eu telefonava para eles era sempre difícil; eu sentia raiva na voz deles, um ressentimento habitual, como se em silêncio estivessem dizendo: *você não é uma de nós*, como se eu tivesse traído eles ao deixá-los. E acho que traí mesmo. Minhas filhas estavam crescendo, elas tinham necessidade de alguma coisa o tempo todo. As duas ou três horas por dia que eu dispunha para escrever eram extremamente importantes para mim. E naquela época meu primeiro livro estava sendo preparado para publicação.

Mas minha mãe ficou doente, então eu é que dessa vez fui ao seu quarto de hospital em Chicago, para sentar aos pés da cama dela. Eu queria lhe dar o que ela tinha me dado, o mesmo tipo constante de atenção bem desperta dos dias em que ela havia ficado comigo. Meu pai me cumprimentou quando saí do elevador, no hospital, e eu não saberia quem ele era se não fosse a gratidão que vi nos olhos daquele estranho, por eu ter ido ajudá-lo. Ele parecia muito mais velho do que pensei que pudesse ficar, e qualquer raiva que eu sentia — ou que ele sentia — não parecia mais ligada a nós. O nojo que senti dele na maior parte da minha vida não estava lá. Ele era um velho num hospital cuja mulher estava prestes a morrer. "Papai", eu disse, olhando para ele. Estava vestido com uma camisa social amassada e uma calça jeans. Acho que no começo ele ficou tímido demais para me abraçar, então eu o abracei, imaginando o calor de sua mão na minha nuca. Mas nesse dia no hospital ele não colocou a mão na minha nuca, e alguma coisa dentro de mim — bem, bem no fundo — ouviu o sussurro *Acabou*.

Minha mãe estava sofrendo; ela ia morrer. Eu não era capaz de acreditar nisso. Minhas filhas eram adolescentes na época e eu estava preocupada especialmente com Chrissie, se ela estava fumando maconha demais. Então eu vivia falando no telefone com elas, e na segunda noite, enquanto estava sentada perto da minha mãe, ela me disse baixinho: "Lucy, preciso que você faça uma coisa".

Levantei e fui até ela. "Sim", eu disse. "Fale."

"Preciso que você vá embora." Ela disse isso baixinho e não ouvi nenhuma raiva em sua voz. Ouvi determinação. Mas, sinceramente, senti pânico.

Queria dizer: se eu for embora, nunca mais vou ver você de novo. As coisas não têm sido fáceis entre nós, mas não me faça ir embora, não suporto pensar que nunca mais vou ver você de novo!

Eu disse: "Tudo bem, mãe. Tudo bem. Amanhã?".

Ela olhou para mim e seus olhos se encheram de lágrimas. Seus lábios tremeram. Ela sussurrou: "Agora, por favor. Querida, por favor".

"Ah, mamãe..."

Ela sussurrou: "Wizzle, por favor".

"Vou sentir sua falta", eu disse, mas eu estava começando a chorar e sabia que ela não suportaria isso, e a ouvi dizer: "Sim, você vai".

Curvei-me e beijei o cabelo dela, que estava emaranhado por ela estar doente e de cama. Depois me virei, peguei minhas coisas e não olhei para trás, mas quando ia saindo pela porta não consegui continuar. Recuei sem me virar. "Mamãe, eu te amo!", eu disse alto. Eu estava de frente para o corredor, mas sua cama era a que estava mais perto de mim, e ela me ouviu, tenho certeza. Esperei. Não houve resposta, nenhum som. Digo a mim mesma que ela me ouviu. Digo isso a mim mesma — já disse isso a mim mesma — muitas vezes.

Fui imediatamente à sala das enfermeiras. Falei, implorando: por favor, não deixem que ela sofra, e elas me disseram que não a deixariam sofrer. Não acreditei nelas. Tinha havido aquela mulher no quarto, morrendo, quando fui tirar o apêndice, e ela estava sofrendo. Por favor, implorei a essas enfermeiras, e vi em seus olhos a profunda fadiga de pessoas que já não podem fazer nada sobre coisa nenhuma.

Na sala de espera estava meu pai, e quando ele viu minhas lágrimas, balançou a cabeça rápido. Sentei ao seu lado e sussurrei o que minha mãe tinha dito, que ela precisava que eu fosse embora. "Quando vai ser o funeral?", perguntei. "Ah, por favor, me diga quando vai ser, papai, que eu volto na hora."

Ele disse que não haveria funeral.

Entendi. Senti que entendi. "Mas as pessoas viriam", eu disse. "Ela teve aqueles clientes de costura, as pessoas viriam." Meu pai sacudiu a cabeça. Nada de funeral, disse. E não houve funeral para ela. Nem para ele, no ano seguinte, quando morreu de pneumonia; ele não deixou de jeito nenhum meu irmão levá-lo a um médico. Peguei um avião para vê-lo poucos dias antes de ele morrer, ficando na casa que eu não via fazia tantos anos. Ela me assustava, a casa, seus cheiros e sua pequenez, e o fato de meu pai estar tão doente e de minha mãe ter partido. Ela tinha partido! "Papai", eu disse, sentando na cama junto dele. "Papai, ah, papai, sinto muito." Falei isso de novo e de novo: "Papai, papai, sinto muito mesmo. Sinto muito, papai". Ele apertou minha mão, seus olhos estavam úmidos, sua pele muito fina, e ele disse: "Lucy, você sempre foi uma boa menina. Que boa menina você foi". Tenho quase certeza que ele me disse isso. Acredito, embora não tenha certeza, que minha irmã saiu do quarto nesse momento. Meu pai morreu naquela noite, ou melhor, bem cedo de madrugada, às três da manhã. Eu estava sozinha com ele, e quando ouvi um súbito silêncio, levantei, olhei para ele e disse: "Papai, pare com isso! Pare com isso, papai!".

Quando eu voltei para Nova York depois de ver meu pai —
e minha mãe um ano antes —, depois de ver os dois pela última
vez, o mundo começou a parecer diferente para mim. Meu marido parecia um estranho, minhas filhas, na adolescência, pareciam indiferentes à grande parte do meu mundo. Eu de fato estava perdida. Não parava de sentir pânico, como se a família Barton,
nós cinco — desajustados como tínhamos sido —, fosse uma estrutura pesada sobre mim da qual eu nem sequer tinha me dado
conta até ela acabar. Eu não parava de pensar no meu irmão e
na minha irmã e na perplexidade no rosto deles quando meu pai
morreu. Eu não parava de pensar como nós cinco tínhamos sido
uma família realmente problemática, mas também via, então,
como nossas raízes estavam enroscadas de forma obstinada em
volta do coração de um e de outro. Meu marido disse: "Mas você
nem gostava deles". E fiquei especialmente assustada depois disso.

Meu livro recebeu boas críticas, e de repente eu passei a viajar. As pessoas diziam: Que loucura — que sucesso da noite para o dia! Eu ia participar de um noticiário matinal e nacional. Minha agente disse: "Demonstre felicidade. Você é o que essas mulheres que estão se vestindo para ir trabalhar querem ser, então vá a esse programa e se mostre feliz". Sempre gostei dessa agente. Ela tinha autoridade. O programa era em Nova York e eu não estava tão assustada quanto as pessoas acharam que eu ficaria. O medo é um negócio engraçado. Eu estava na minha cadeira, com o microfone preso à minha lapela, olhei pela janela, vi um táxi amarelo e pensei: estou em Nova York, eu amo Nova York, estou em casa. Quando eu ia para outras cidades, como precisei fazer, vivia apavorada. Um quarto de hotel é um lugar solitário. Ah, meu Deus, como é um lugar solitário.

Isso foi pouco antes do e-mail se tornar a forma comum das pessoas escreverem umas às outras. Quando meu livro saiu, recebi muitas cartas de pessoas me dizendo o que o livro tinha significado para elas. Recebi uma carta do artista da minha juventude me dizendo o quanto ele tinha gostado do livro. Eu respondia toda carta que recebia, mas a dele nunca respondi.

Quando Chrissie saiu de casa para ir para a faculdade, e depois Becka no ano seguinte, eu achei — e não é apenas modo de dizer, é verdade mesmo —, eu realmente achei que fosse morrer. Nada tinha me preparado para aquilo. E descobri que isto é verdade: algumas mulheres se sentem assim, que seu coração foi arrancado do peito, e outras acham muito libertador quando os filhos vão embora. A médica que me ajuda a não me parecer com a minha mãe, ela me perguntou o que eu fiz quando minhas filhas foram para a faculdade, e eu disse: "Meu casamento acabou". E acrescentei depressa: "Mas o seu não vai acabar". Ela disse: "É possível. É possível".

Quando deixei William, não peguei o dinheiro que ele me ofereceu nem o dinheiro que a lei dizia ser meu. Na verdade, não achei que o merecia. Eu queria apenas que minhas filhas tivessem o suficiente, e isso foi acordado de imediato, que elas teriam o suficiente. A origem do dinheiro também me deixava desconfortável. Não conseguia parar de pensar na palavra: nazistas. Quanto a mim, eu não ligava para dinheiro. Além disso, eu tinha ganhado dinheiro. Que escritor ganha dinheiro? Mas eu tinha ganhado dinheiro e continuava ganhando mais, então achei que não devia ficar com o dinheiro de William. Mas quando digo "Quanto a mim, eu não ligava", quero dizer o seguinte: que tendo sido criada da forma como fui, com tão pouco — só com o interior da minha cabeça para chamar de meu —, eu não precisava de muito. Outra pessoa criada nas minhas circunstâncias talvez tivesse querido mais, mas eu não ligava — eu digo que não ligava —, no entanto aconteceu de eu ganhar dinheiro por causa da sorte que tive com a minha escrita. Lembro da minha mãe no hospital dizendo que o dinheiro não tinha ajudado Elvis nem Mary do Mississippi. Mas sei que dinheiro é uma coisa importante, num casamento, numa vida, dinheiro é poder, eu sei disso, sim. Não importa o que eu diga, ou o que qualquer um diga, dinheiro é poder.

Esta não é a história do meu casamento; eu disse que não posso escrever a história do meu casamento. Mas às vezes fico pensando no que os primeiros maridos sabem. Casei com William quando eu tinha vinte anos. Queria cozinhar pratos para ele. Comprei uma revista com receitas elaboradas e reuni os ingredientes. William passou pela cozinha uma noite, olhou para o que havia na frigideira em cima do fogão, depois voltou para a cozinha de novo. "Button", ele disse, "o que é isso?" Respondi que era alho. Falei que a receita pedia para refogar um dente de alho em azeite de oliva. Todo gentil, ele me explicou que aquilo era uma cabeça de alho e que era preciso descascá-la e abri-la para chegar aos dentes. Visualizo agora — com toda a clareza — a enorme cabeça de alho com casca no meio do azeite de oliva na frigideira.

Parei de tentar cozinhar quando as meninas nasceram. Eu fazia um frango, preparava um vegetal amarelo para elas de vez em quando, mas na verdade a comida nunca exerceu muito apelo sobre mim como acontece com tantas pessoas nesta cidade. A mulher do meu marido adora cozinhar. Do meu ex-marido, quero dizer. A mulher dele adora cozinhar.

O marido que eu tenho agora cresceu nos arredores de Chicago. Ele cresceu em meio a uma enorme pobreza; às vezes a casa deles estava tão fria que eles ficavam de casaco lá dentro. Sua mãe vivia indo e voltando de hospitais psiquiátricos. "Ela era louca", meu marido conta. "Acho que ela não amava nenhum de nós. Acho que ela não conseguia." Quando estava no quarto ano, ele tocou o cello de um amigo e, desde então, vem tocando de forma brilhante. Durante toda a sua vida adulta meu marido tocou cello profissionalmente, e ele toca para a Filarmônica aqui da cidade. Sua risada é enorme, estrondosa.

Ele fica feliz com qualquer coisa que eu faço pra gente comer.

Mas há mais uma coisa que eu gostaria de dizer sobre William: durante aqueles primeiros anos de casamento, ele me levou para ver jogos dos Yankees; no antigo estádio, claro. Ele me levou — e as crianças umas duas vezes — para ver os Yankees jogar, e me surpreendi com a facilidade com que ele gastava dinheiro com os ingressos, me surpreendi como ele dizia para eu ficar à vontade e comprar cachorro-quente, cerveja, mas eu não devia ter ficado surpresa; William era generoso com seu dinheiro. Entendo que minha surpresa foi por como tinha sido quando meu pai me comprou a maçã caramelizada. Mas assisti àqueles jogos dos Yankees com uma admiração de que ainda me lembro. Eu não sabia nada de beisebol. Os White Sox não significavam muito para mim, embora eu sentisse uma espécie de lealdade a eles. Mas depois desses jogos dos Yankees, amei apenas os Yankees.

O diamante! Lembro de ter ficado impressionada com ele, lembro de ver os jogadores batendo e correndo, de ver os homens que iam nivelar a terra e, acima de tudo, lembro de ver o sol batendo nos edifícios próximos, os edifícios do Bronx, o sol batia nesses prédios e então diferentes luzes da cidade surgiam, era uma coisa linda. Eu sentia que tinha sido trazida ao mundo, é o que quero dizer.

Passados muitos anos, depois que deixei meu marido, eu caminhava na direção do rio East pela rua 72, onde dá para seguir direto até o rio, olhava o rio e ia pensando nos jogos de beisebol aos quais tínhamos ido tanto tempo antes e me vinha uma sensação de felicidade, de um jeito que eu não conseguia sentir com outras lembranças do meu casamento; as lembranças felizes me machucavam, é o que eu quero dizer. Mas com as lembranças dos jogos dos Yankees não era assim; elas faziam meu coração se encher de amor pelo meu ex-marido e por Nova York, e até hoje sou fã dos Yankees, embora eu nunca mais vá de novo a um jogo, sei disso. Aquela era outra vida.

Penso em Jeremy me dizendo que eu precisava ser implacável para ser escritora. Penso em como não fui visitar meu irmão, minha irmã e meus pais porque eu estava sempre trabalhando numa história e nunca havia tempo suficiente. (Mas eu também não queria ir.) Nunca havia tempo suficiente, e mais tarde percebi que se continuasse casada eu não escreveria outro livro, não do tipo que eu queria, e é preciso considerar isso também. Mas acho que ser implacável, de fato, é eu me agarrar a mim mesma, é dizer: esta sou eu e não vou aonde não suporto ir — a Amgash, Illinois —, e não vou continuar num casamento se eu não quero, e vou me agarrar a mim mesma e me lançar adiante na vida, cega como uma toupeira, mas adiante! Isso é ser implacável, acho.

Naquele dia no hospital minha mãe me disse que eu não era como meu irmão e minha irmã: "Olhe a sua vida agora. Você simplesmente foi em frente e… conseguiu". Talvez ela quisesse dizer que eu já era implacável. Talvez ela quisesse dizer isso, mas não sei o que minha mãe quis dizer.

Meu irmão e eu nos falamos toda semana por telefone. Ele continuou morando na casa em que crescemos. Como meu pai, ele trabalha com máquinas agrícolas, mas ele não é despedido nem tem o temperamento do meu pai. Nunca mencionei o fato de ele dormir com os porcos antes de serem abatidos. Nunca perguntei se ele ainda lê os livros infantis, aqueles sobre as pessoas na campina. Não sei se ele tem uma namorada ou um namorado. Não sei quase nada sobre ele. Mas ele fala comigo de forma educada, embora nunca tenha me perguntado sobre minhas filhas. Perguntei o que ele sabia sobre a infância da minha mãe, se ela se sentia em perigo. Ele diz que não sabe. Contei para ele dos cochilos dela no hospital. De novo ele diz que não sabe.

Quando falo com a minha irmã pelo telefone, ela está com raiva e reclama do marido. Ele não ajuda na limpeza, na cozinha nem com as crianças. Ele deixa o assento da privada levantado. Isso ela menciona todas as vezes. Ele é *egoísta*, ela diz. Ela não tem dinheiro suficiente. Já lhe dei dinheiro, e a cada poucos meses ela me manda uma lista do que precisa para os filhos, embora a esta altura três deles já tenham saído de casa. Na última vez ela listou "aulas de ioga". Fiquei surpresa de haver aulas de ioga na minúscula cidade onde ela morava, e fiquei surpresa por ela — ou talvez sua filha — fazer ioga, mas dou o dinheiro toda vez que ela me manda a lista. Me ofendi — em segredo — por causa das aulas de ioga. Mas acho que ela sente que eu lhe devo dinheiro, e acho que ela pode ter razão. De vez em quando me pego pensando sobre o homem com quem ela se casou, por que ele nunca abaixa o assento da privada? Raiva, diz minha afável terapeuta. E dá de ombros.

Na faculdade, minha colega de quarto tinha uma mãe que não havia sido boa com ela; minha colega não gostava muito dela. Num outono, a mãe da minha colega mandou um pacote de queijo para ela; nenhuma de nós gostava de queijo, mas minha colega não podia jogá-lo fora nem suportava a ideia de dá-lo a outra pessoa. "Você se incomoda?", ela perguntou. "Se a gente guardar? Quero dizer, foi a minha mãe quem me deu." Eu disse que entendia. Ela pôs o queijo no peitoril do lado de fora da janela e ele ficou lá, a neve caindo de vez em quando nele, e a gente esqueceu disso; mas então chegou a primavera. No fim ela pediu que eu me desfizesse dele enquanto ela estivesse na aula, e eu fiz isso.

Deixe-me dizer o seguinte sobre a Bloomingdale's: às vezes penso no artista, porque ele se orgulhava da camisa que havia comprado lá, e me lembro de pensar como isso era superficial nele. Mas minhas filhas e eu vamos lá há anos; temos nosso lugar favorito no balcão no sétimo andar. Minhas filhas e eu vamos primeiro ao balcão, tomamos o frozen iogurte, rimos do nosso estômago, do quanto ele dói, e só depois disso andamos por ali — vamos bem sem destino —, pelo departamento de sapatos e pelo departamento para meninas. Quase sempre eu compro o que elas querem, elas são boas e cuidadosas, nunca tiram proveito — são meninas maravilhosas. Houve anos em que elas não quiseram ir comigo, estavam com raiva. Nunca fui à Bloomingdale's sem as duas. O tempo passou, e agora nós voltamos, quando elas estão na cidade. Quando penso no artista, penso nele com carinho, e espero que sua vida tenha seguido bem.

Mas a Bloomingdale's — de muitas maneiras — é uma casa nossa, minha e das minhas meninas.

A Bloomingdale's é uma casa para nós por causa disto: em todo apartamento que morei desde que deixei a casa na qual minhas filhas cresceram, sempre fiz questão de ter um quarto extra, para que elas pudessem vir se hospedar, mas nenhuma delas nunca faz ou fez isso. Kathie Nicely talvez tenha feito a mesma coisa, jamais saberei. Já conheci mulheres cujos filhos não as visitam, e nunca culpei esses filhos nem culpo as minhas, embora isso parta o meu coração. "A minha madrasta", já ouvi minhas filhas dizerem. "A mulher do meu pai" seria suficiente. Mas elas dizem "a minha madrasta" ou "a minha outra mãe". E eu tenho vontade de dizer: "Mas ela nunca lavou o rostinho de vocês quando eu estava no hospital, nem nunca escovou o cabelo de vocês, coitadinhas, pareciam duas maltrapilhas quando iam me ver, e isso partia o meu coração, ninguém estar cuidando de vocês!". Mas eu não falo isso, nem deveria. Pois fui eu que deixei o pai delas, ainda que na época eu tenha achado que estava deixando apenas *ele*. Mas foi uma tolice pensar assim, porque também deixei minhas meninas, e deixei a casa delas. Meus pensamentos se tornaram meus ou então compartilhados com outros que não o meu marido. Eu estava inquieta, desatenta.

A raiva das minhas meninas durante aqueles anos! Há momentos em que tento esquecer, mas jamais vou esquecer. Preocupa-me o que elas jamais vão esquecer.

Minha filha mais carinhosa, Becka, disse para mim naquela época: "Mãe, quando você escreve um romance você pode reescrevê-lo, mas quando você vive com alguém durante vinte anos, esse é o seu romance, você nunca pode escrever esse romance com mais ninguém de novo!".

Como ela sabia disso, minha filha tão, tão querida? Mesmo sendo tão nova, ela sabia disso. Quando ela me disse isso, olhei para ela. Falei: "Você tem razão".

Um dia, mais para o final do verão, eu estava na casa do pai delas. Ele tinha ido trabalhar e eu fui lá para ver Becka, que estava com ele, como sempre fazia. Ele ainda não tinha se casado com a mulher que havia levado as meninas ao hospital e que não tinha filhos. Fui até a mercearia da esquina — era de manhã cedo — e na pequena televisão acima do balcão vi que um avião havia colidido com o World Trade Center. Voltei depressa ao apartamento e liguei a televisão, Becka ficou sentada assistindo e eu fui para a cozinha deixar o que quer que eu tivesse comprado, quando ouvi Becka gritar: "Mamãe!". O segundo avião tinha atingido a segunda torre, e quando corri para acudi-la seu olhar estava muito perturbado. Sempre me lembro desse momento. Penso: esse foi o fim da infância dela. As mortes, a fumaça, o medo por toda a cidade e pelo país, as coisas horrorosas que aconteceram no mundo desde então; em segredo penso apenas na minha filha naquele dia. Nunca ou desde então ouvi aquele grito em sua voz. *Mamãe.*

E penso às vezes em Sarah Payne, em como ela mal conseguia dizer seu nome naquele dia em que a conheci na loja de roupas. Não faço ideia se ela ainda mora em Nova York; ela não escreveu outros livros. Não sei absolutamente nada sobre sua vida. Mas penso em quão exausta ela ficou, ensinando. E penso em como ela falou do fato de que todos nós temos só uma história, e acho que não sei qual era ou é a história dela. Gosto dos livros que ela escreveu. Mas não consigo parar de sentir que ela evita alguma coisa.

Quando fico sozinha no apartamento hoje em dia, não com frequência, mas às vezes, digo suavemente em voz alta: "Mamãe!". E não sei o que é — se estou chamando minha própria mãe, ou se estou ouvindo o grito de Becka para mim naquele dia em que ela viu o segundo avião colidir com a segunda torre. As duas coisas, acho.

Mas esta é a minha história.

E, no entanto, é a história de muitos. É a história de Molla, da minha colega de quarto, pode ser a história das Lindas Garotas Simpáticas. *Mamãe. Mãe!*

Mas esta é a minha história. Esta. E meu nome é Lucy Barton.

Chrissie disse, não faz muito tempo, sobre o marido que tenho agora: "Eu o amo, mãe, mas espero que ele morra durante o sono e então que minha outra mãe morra também, e que você e papai fiquem juntos de novo". Dei-lhe um beijo no topo da cabeça. Pensei: eu fiz isso com a minha filha.

Será que eu entendo a dor que as minhas filhas sentem? Acho que sim, embora elas possam afirmar o contrário. Mas acho que conheço tão bem a dor que nós filhos agarramos ao peito, como ela dura a vida toda, com anseios tão grandes que você não pode nem chorar. Nós a seguramos com força, fazemos isso, com cada batida convulsionada do coração: *Isto é meu, isto é meu, isto é meu.*

Hoje em dia às vezes penso em como o sol se punha sobre os campos ao redor da nossa pequena casa no outono. Uma vista do horizonte, todo o seu círculo, se você se virasse, o sol se pondo atrás de você, o céu à sua frente ficando rosa e suave, depois ligeiramente azul de novo, como se não pudesse parar de continuar com a sua beleza, e então a terra mais próxima do sol poente escurecia, quase preta contra a linha alaranjada do horizonte, mas se você se virasse, a terra ainda estava visível ao olho com uma tal suavidade, as poucas árvores, os campos tranquilos de coberturas vegetais já revolvidas, e o céu se demorando, se demorando, e então finalmente escuro. Como se a alma pudesse ficar tranquila naqueles momentos.

Toda a vida me assombra.

Agradecimentos

A autora gostaria de agradecer por sua ajuda com este livro: Jim Tierney, Zarina Shea, Minna Fyer, Susan Kamil, Molly Friedrich, Lucy Carson, a Fundação Bogliasco e Benjamin Dreyer.

ESTA OBRA FOI COMPOSTA PELO GRUPO DE CRIAÇÃO EM ELECTRA E
IMPRESSA PELA LIS GRÁFICA EM OFSETE SOBRE PAPEL PÓLEN BOLD
DA SUZANO PAPEL E CELULOSE PARA A EDITORA SCHWARCZ
EM JULHO DE 2016